無錫楊壽枏著

雲在山房類稿

（三）

文史哲出版社印行

雲在山房類稿(三) 目錄

乙亥夏仲

秋草齋詩鈔

壺公題

秋草齋詩鈔 壬申後所作

無錫楊壽枏著

癸酉初秋眗谷居士過余談詩手題秋草齋額以贈未久化去蓋絕筆也冥契已逝縑墨猶新遂名吾集以志牙琴之感

新春同社讌集

東風吹送麯塵香笑對梅花酹一觴交比論詩宜古澹貌能入畫必疎枉（合照小影）人才落落歸文苑世事茫茫付醉鄉試問討春雙蠟屐可能重訪水西莊

子威寄示白下懷人詩十二章並吳丈廔伯和余秋草放言諸什書中言吳丈年已七十三詩文仍極古豔見余詩盛相推挹殆亦有香火緣也感舊酬知率成短章卽寄子威並簡吳丈

論詩最愛宗少文猶恨未交吳季重一歸江上隨賓鴻一臥山中作飢鳳二老相逢興不孤吟成縑素滿江湖龍沙飄泊留詩卷燕市蕭條憶酒徒秦淮花月新亭淚舊是才人歌哭地錦鱗卅六附書來猶帶六朝烟水氣韋曲花開酒榼空嗣宗老去感途窮遙憐暮雨吳篷裏獨聽寒山夜半鐘余與子威初見在寒山詩鐘社

心畬叔明兩王孫邀游萃錦園看海棠

洞壑陰陰曲磵迴萬花深處有池臺客愁暫逐東風散春色還從北海來園在十剎海旁獺髓斑斑沾地碎鸞翎簇簇倚天開當年移得西川種曾費鄒枚應教才

幼梅屬題耆壽民老友手寫詩詞卷

絕代才華絕妙詞墨花和淚寫烏絲分明譜出清商曲不

似籠香倚醉時
十年清淚滿銅盤刦後鶯花不忍看今日樓臺烟雨裏舊
都春色更荒寒
筱荔大叔重讌鹿鳴並合鄉耆行鄉飲酒禮敬獻蕪
什以侑賓筵
龍飛盛世榜花紅會步雲梯到月中揚觶重瞻攀桂客吹
笙爭迓采芝翁科名異代留佳話齒讓今朝見古風三百
年來尋故事鄉賢接席有興公
一山同年移居東城貢院胡同暇日走訪憑弔貢院
廢址慨然賦此
前朝故事豔登科袞袞人才入彀多卿相須從黃甲出英
雄其奈白頭何三場功候如丹轉五載光陰被墨磨余辛卯秋

闈至乙未春闈五年四試皆在此同是昔年辛苦地讓君小築臥煙蘿

上巳日瑩園禊集分得和字用蘭亭體

華旭舒照祥飈扇和芳荑被坂潛鱗躍波迎門鶴導拂槳鷗過流觴帶荇散策搴蘿勞生暫憩晞髮行歌何以禳祓祲沴孔多赤蜺彗日黑蜧瀆河山有虎兕海有蛟鼉謂民何辜逢此百罹今我不樂來日如何

與壽人幼梅嘯麓佩忱誦洛瑩園賞荷歸飲寓齋分得門字

梅天蒸溽林氣昏火雲不散冰泉溫朝朝坐臥青玉簟不許熱客來打門素心惟有竹溪侶同游六人共攜笠屐尋名園入門景物盡蒼莽枯藤絡石柳半髡蓮塘十頃最空闊雲水蕭瑟如江村翠蓋迎風萬葉淨縞衣照水千花繁湖天

一碧澹無暑白鷗與客俱忘言平橋徙倚日漸暮涼吹策
策菰蒲喧歸來一雨更清絕便覺秋意生庭軒雖無鬧紅
停畫舸且共浮白開芳樽吾曹狂逸天所放如魚脫罟鳥
出樊君不見黃塵袞袞東華道車聲日夜如雷奔

題幼梅臨觀海堂蘇書册後

大哉謫仙人碑版照百代至今西樓帖珍秘逾珠貝（宋搨蘇文忠西樓帖吳荷屋所藏廖鹿儕精選重摹上石爲觀海堂帖）藏齋得書髓落筆尤雄快
矯若鶻摩雲翩如龍戲海眼明見此本驚倒鹿儕輩秋堂
虹月輝字字吐奇采留作藝苑珍裝題入金薤

癸酉六月十二日同社爲涪翁作生日分得字韻

東坡一生困磨蝎公亦命宮多鬼蜮承天院記竟遭誣何
異烏臺肆羅織憶當元祐歲癸酉公以秘書兼史職明年

章蔡騄登朝實錄編成被彈劾九死投荒十二年濯足城樓意悽惻當時姓氏入黨碑異代藝林珍翰墨至今萬派宗西江終古一星近南極（山谷詩南極一星在江湖）壽公兼欲祭公詩如噍梅漿嚼蓮薏壽公兼復拜公象秋月冰壺照顏色萬荷花擁一吟壇祇合水仙來配食碧筩酒冽雪藕鮮清談座上忘炎赩借公生日聚吟朋一醉壚頭計亦得

題傅沅叔華山游記

雲幢千尺接鉤梯俯視中條樹影低閣棧風高秋落雁祠壇星近夜聞鷄路從柏箭林邊轉（秦王以松柏箭與天神博遺跡在玉女峯洪稚存記所謂翠柏滿庢者也）名在蓮華葉上題（蓮華峯上舊有千葉蓮華服之羽化手爇神）漿窺帝座下方烟霧正淒迷

題張玉裁詩集卽用贈詩原韻

知君獨抱哀時意萬感蒼涼併入詩劍氣欲連虹氣動筑聲忽變羽聲悲嶙峋瘦石有奇態崛強老梅無醜枝遙想瓦橋關外路前朝戰壘草離離君有瓦橋招隱圖

閒居偶成

月食四斗米何容有宦情南史何胤語身閒知道味才退得詩名午睡藜牀穩春游筍屩輕空庭無客到芳草繞階生

題胡綏之雪夜校書圖

寒梅香馚馧古柏狀磊砢蕭蕭雪屋中光照青藜火先生今許鄭談經據高座插架三萬籤字字丹黃過手皺呵凍墨肯效袁安卧白髮擁青氈然脂勤夜課此時諸籟寂惟有瓶笙和微聞碎玉聲階前冰柱墮

戲酬一山並簡幼梅

藏齋（幼梅別號）畫石有奇趣抱叟（一山別號抱冬居士）墨妙撫鍾王法書名畫作交易兩家四壁皆琳瑯我於中間置驛騎蒼頭走送汗且儼若援文闈傳遞例直須酬我千縑緗孰知抱叟更狡獪謂我勿復談科場科場傳遞干厲禁當年功令猶能詳龍門荷校須九日飲以墨水三百觴惟有詩篇作和事免教對簿登公堂石兄勸我銷此案片碔偷可換夜光鴻篇妙翰果立致利市奚啻十倍償藏齋佳什亦繼至羽書火急應接忙偶然游戲成詩案累我覓句搜枯腸公等爭盟若晉楚騷壇旗鼓能相當我如鄭國介兩大悉索敝賦疲輸將資根已匱饟牽竭惟應堅壁固我防寄書不作殷洪喬易畫不作米元章從今推出窗前月一任梅花自主張

任瑾存屬題先世參議公明景泰朝誥敕

鳳誥傳家翰墨香清門奕葉出循良不知劉井柯亭畔視草何人直玉堂

次溪屬題李審言遺札

眼底空餘子斯才自絕倫著書三篋富遺墨百縑珍師友淵源盛文章鑒別眞（皆札中語）禮堂留定本校錄付何人

挽昀谷 二首

君身經桑海脫屣妻孥孑身居舊京會館二十年窮巷湫塵破書塞屋志行耿介與世聲牙蓋今世之畸人也早擅詩名晚修淨業清齋禮佛巾拂蕭然癸酉冬以微疾坐化余與逸塘誦洛經紀其喪而歸之

身世如君亦太奇野雲無迹自孤飛欲攜梅鶴猶嫌累縱

憶蒓鱸未肯歸學道功深能辟穀逃禪心苦抵餐薇齋頭縑墨痕猶濕淒絕牙琴冷玉徽君病前手題秋草齋額贈余蓋絕筆也

寄跡雲沽又兩霜蕭然巾拂似僧房詩兼禪悅師王孟道本玄同祖老莊君詩有玄古篇參言玄理早識一官如土芥君詩治生土芥如官味忍看萬事盡滄桑龍天小謫塵緣了披髮騎麟走大荒

讀子威湘中九日寄懷詩賦此奉酬

早春梅破萼送君游上京遙遙望關塞千里煙塵生花月秣陵春名都擅佳麗掉頭不肯住又鼓湘江棹湘江水碧蘭芷馨九疑窈窕雲鬟青鷓鴣啼烟猿叫月楚娥瑤瑟聲泠泠此地江山盛文藻登高覽古傷懷抱遙憶寒雲落照中秋光蕭瑟瓊華島去年九日同在瓊島登高人海論交二十年當時接席皆豪賢張燈奪錦恣歡謔榜花紅照金桃船蟄園稊園兩詩

社每逢新春張燈奪錦詩榜前列者各贈花一枝春明寂寂餘殘夢每過黃壚增腹痛酒徒寥落感荆高詞客飄零哀屈宋人生聚散如雲漚我滯北地君南州別來詩句更清妙雁聲帶到衡陽秋原句讀萬卷書行萬里如君不負平生志講席新頒鹿洞規行滕猶貯龍沙記君前年自關外歸今任湖南大學教授

贈王采臣督部

百鳥啾啾孤鳳鳴危言抗疏九天驚徙薪有策甘焦爛捧土無功任沸羹中立晚年惟忍事希文早歲已知名碧鷄祠廟寒雲外愁絕鄉關戰鼓聲

題範蓀侍郎重摹水西莊畫卷

我讀芥園記文物思乾嘉承平主風雅南馬北則查水西觴詠地煙月皆清華滄桑換人代舊跡迷鷗沙菱塘惟放

鴨柳岸猶棲鴉蟫香老居士訪古常停車丹青摹勝跡文獻蒐故家題我貫華圖掩卷徒興嗟（公題貫華閣圖云可惜吾鄉查氏墅道謀十載未能成）猶想載酒時讀碑烏帽斜飛仙跨赤虬舊館空烟霞後賢能繼志度地鋤藋葭爲公築仙龕補種千梅花（嘉慶年間曾立梅花詩社）

歸里後居雲邁別墅卽景述懷

池館還如舊親朋已漸稀檢書除蠹粉移榻掃蟫衣養竹成千个量松長一圍殷勤梁上燕應喜主人歸

題脩竹吾廬

開軒掃花徑滿院竹陰疏園叟知調鶴溪童學釣魚苔衣經雨繡柳髮借風梳長日無他事修琴更曝書

題浣芬二妹憶蓉室唱和圖

渺渺蓉湖波歷歷蓉城樹（江陰城形似芙蓉葉故又名蓉城）雙槳趁春潮
是昔歸寧路昔日綺窗前春風寫韻天玉臺新樂府譜入
鴛鴦絃鴛絃彈折後秋老紅芙瘦欲寄大雷書墓草青如
繡篋衍手重開吟魂隔夜臺采蓉人已去頭白我歸來

黿頭渚在蠡湖之濱橫雲山之麓翰西十三弟之別
墅也樓榭參差花樹交映湖光如鏡山翠當屏裙屐
勝游殆無虛日余以甲戌春歸里與蔭北兄翰西弟
同游宿於精舍飽領風月烟波之趣以詩紀之

笠澤匯靈秀蒼茫帶數州青螺七十二烟外亭亭浮吾鄉
枕湖滑山水清且幽橫雲尤勝絕別嶼峙黿頭阿連專此
壑泉石供琱鎪緣崖搆精舍傍嶺結飛樓虛堂延遠景曲
榭臨清流楊柳夾谿路芰荷繞汀洲探梅雪磵春攀桂雲

峯秋四時景俱備佳日恆淹留吾性亦好奇自詫環瀛游焉知百里內節屐尚未周滄波照華髮勞生此暫休導我有青猿招我有白鷗披蘿陟鳳谷剔蘚尋龍湫二句皆游山本事入山復出山翻使山靈愁羈禽思故巢倦客思故邱終當稅塵鞵歸泛五湖舟

湖亭夜坐

溪上綠陰暗夕景掩村墟回瞻翠微裏佛火明僧廬岫銜初月澹潭印春星疏孤亭倚碧湖烟水涵淸虛稍覺夜氣涼花露沾我裾遶閒鳴榔響小艇猶乂魚

曉起看湖上諸山

雲散湖天涼波紋淨如縠春山試曉妝倚鏡照蛾綠掃花人未起林外鳥相逐已見漁舟行空濛烟水曲春情旣㥯

懌晨氣更暄淑遙想城市中紅塵夢方熟蟄雲曰刪去末二韻更有悠然不盡之致

黿頭渚謁　光祿公祠

祠宇崢嶸映碧流開軒正對五湖秋中興事去餘青史下拜人來已白頭萬頃烟波淩浩渺四時風月占清幽供花掃葉吾無分又挂雲帆賦遠游

過龍泉寺

寺在軍障山中入山行十餘里始至寺後有小瀑布二懸崖注澗匯而成泉瑩若碧玉名曰龍湫

荒庵客到稀終日掩禪扉松子供僧飯苔花上佛衣水清魚入定山靜鳥忘機也似天台路懸崖瀑布飛寺有大圓正覺匾額傳爲簡文帝所書書未竟邏者至乃避去故覺字缺下半余記以詩此事爲山僧所述不見著錄故詩未存稿附記

於此

穎人北來邀燕京舊侶北海禊飲余適南歸仲雲代

拈已字補作一詩

故人蹤跡如燕鴻一別關河各千里羡君飽看六朝山青溪觴詠多名士朅來重拾春明夢恰好靈辰值上巳柳絲花影似江南水態山容皆可喜坐中主客盡豪英諸老翩然聯杖履謂弢庵散原閏枝一山諸老我歸竟誤看花約獨臥吳篷對烟水山中猿鶴笑我癡歲歲流觴脩故事禊痕染遍舊京塵白髮盈梳不可理詩囊掛壁酒瓢空閉門但學陳無已遙飛一琖壽醉翁詩情又在荷花裏仲雲來書約六月二十一日爲歐公作生日余不克赴

水香洲觀荷賦贈仲金

吳儂歸汎蓉湖櫂水態烟痕滿襟抱釣竿一擲上征輪無端又踏黃塵道主人招客城南游雙槳劃破靑瑤流明漪十頃漾空綠爲我浣出胸中秋畫船似藕穿花入翠蓋亭亭萬瓊笠涼雲忽挾雨聲來鮫珠散走紅衣濕碧天欲暝花氣涼祇愁風露侵鴛鴦士女每當暑夜打槳花間采蓮歌裏客歸去一路蟬聲送夕陽

題仲金滄近居

林塘帶秋色雲水更淸虛疊石都成嶂穿泉便作渠雨添荷氣潤風動柳陰疏常擬從君往買陂學種魚

立秋日熙民蟄雲邀瑩園賞荷泛舟遇雨

銀塘瑟瑟秋涼意滿汀洲松翠沾吟笠荷香入釣舟烟中一葉遠雨後萬花幽誰識風塵外蕭然幾鷺鷗

讀道德經書後

老氏其猶龍見首不見尾著書五千言但留鱗爪耳蒼姬籙已衰華顛守柱史紫氣潛神淵靜究天人理木德鍾素王玉書輝闕里想當踞觚時一見即驚異震旦有聖人（大權菩薩經老子是迦葉菩薩化游震旦）吾道將隱矣東魯麟甫來東周龍遽逝化身是迦葉玄牝常不死始悟圓覺宗闇合冲虛旨青牛傳道行白馬取經至一花發兩葉都自西方始世儆道術歧學說矜俶詭安得眞人興玄風掃塵滓三教統一宗十方遵一軌金輪大世界即在靈臺裏

題沅若僧服小像

分明四十年前約願傍梅花結草庵今日還君眞面目打鐘掃葉一瞿曇

讀張次溪清代燕都梨園史感題

雙肇樓頭玉茗香梨園風月費平章憑看粉墨重開面每聽笙歌總斷腸南部新聲翻白苎東華舊夢付黃粱鶯花五萬過如電老去消磨杜牧狂

題許琴伯東游草

訪道曾浮海外槎君應佛教會之約東渡櫻花紅壓帽簷斜弓衣織徧都官句不數蠻姬繡法華

九日集水西莊分得開字

又蹋城西路園荒菊半開黃塵欺破帽白髮怯深杯讀畫多名蹟箋詞亦妙才汀鷗猶識我前度看花來慈約陳列水西莊圖詠皆名人翰墨

重九日李琴湘招擇廬賞菊分得年字

愛詩兼愛菊誰似李龍眠高館明燈夜空堦落葉天烟霞三徑老花月一亭妍用張三影事借問尊前客題糕已十年君每歲重陽與知交作題糕會預訂十年之約未嘗間斷

題朱鐵林水村圖

吳儂生長煙波曲射鴨叉魚事事諳卻愛君家好村舍稻塍菱浦似江南

子威自湘中以詩寄懷走筆依韻奉酬並題其游嶽詩卷

詩情又在白蘋洲天末涼風獨倚樓筍屐穿雲常訪古荷裳浥露漸驚秋湘皋蘭草騷人佩嶽頂蓮花羽客舟飛來石船書到自誇腰腳健祝融峯上杖藜游

雲梯百級路層層借宿招提伴佛燈宿上封寺石室重來煨芋

客半山石室為鄴侯書堂金臺舊識種蕉僧詩中言寺僧性也曾駐錫北平與話春明故事長懷素沙人鶴歸古剎泉聲靜古麓山寺在校後放鶴亭白鶴泉皆在左近龍臥空潭日氣蒸詩中言久旱龍潭枯涸坐對名山開講舍修成清福幾人會湖南大學即嶽麓書院故址

不寐

霜柝街頭報四更香殘燭暗不勝情空簾月轉梅花影卧聽寒雞第一聲

校昀谷遺詩感題二律即仿其早年詩體

字字眞堪繡法華頓教俗耳洗箏琶窮如東野同千古清到西江別一家鳳性祇宜餐竹實鶴魂常自守梅花醉中嚼碎芙蓉蕋噴作瑤天萬朶霞

珊瑚擊碎奈愁何原句小劫曇天祇剎那玉鳳聲孤簫亦啞

蒼龍精暗劍休磨曾游藕孔看魔戲偶折蓮華被佛訶一去神山消息斷人間翻是鬼才多

誦洛約西沽看桃花余因病未到代拈漁字

此亦桃源境花開畫不如泥香黃犢路水暖白鷗居老去詩情懶春來酒侶疏自憐無勝具空羨武陵漁

寒食至故都哭弢庵太傅

重到脩門萬事非廿年老淚濕朝衣乾坤板蕩身難隱山海崎嶇願竟違殘稿蠅頭書歷歷（公去秋到津以所作摸魚兒詞商訂遺草猶存余篋中）清尊麈尾話依依傷心寒食城西路忍向花前扶醉歸（曩在公齋中賦寒食詞）

明烈士萬里傳題後

清初大兵定江南以李喬爲通州牧政嚴酷民擊殺之

遂起義清兵至將屠城明烈士萬里自縛詣軍門承首亂支解死一州獲全

赤棒來白桿起鬼車啼屠伯至挺身就刀鋸烈烈奇男子但使一邑全遑恤一身死名雖麗丹書事足彰青史嗚呼周頑民殷義士

寄子威湘中

海燕江鴻自去來故人一別幾時回湘花湘草留君住管領風騷要此才

衰柳枯荷廢苑秋昔年共泛液池舟今宵對月思君處獨倚高寒水上樓（中秋夕獨游瓊島次夕宿頤和園）

送友人出關

西風吹葉下亭皋爲爾樽前脫寶刀江海飄蕭雙綠鬢關

山牢落一青袍向人莫便傾肝膽處世終須愛羽毛虛負
黃金臺上意憐君歧路尚勞勞

九日游寶藏寺留題

佳日訪名藍雲峰深幾曲前朝蒼雪菴紺殿枕巖腹院靜
聞秋香脩脩廊帶梧竹登高望川原風物凄以肅道人掃丈
室餉客茗花綠我願從子游安禪禮金粟

乙亥九秋偕止菴仲虎劍秋彤士蔭北兄游陶然亭
散原丈伯夔立之君任若木彥和繼至相約賦詩以
記勝游分得山字

郊坰六七里陂塘三四灣蘆雪浩千頃蕭蕭掩禪關十年
不到此魚鳥笑我頑鐘盇晝無聲緇侶俱蕭閒龕冷香火
稀厨荒粥飯艱摩挲經塔字石古苔紋斑錦墩翳瓦礫香

塚蘊榛菅昔年觴咏地花時數往還至今江亭禊畫卷傳人寰乙丑江亭禊飲會者九十餘人有圖咏行世 舊游散如雨坐覺筋力孱何期朋簪戠復在旃林間老仙攜栗杖一笑開蒼顏吾黨二三子文采皆斕斒恍疑松佺儔游戲來華鬘法苑珠林諸天人戲樂於華鬘第七市 遥想翠微寺萬樹霜楓殷題詩報猿鶴遲我採西山

洛笙招飲新農園並賞晚菊

高卧松雲晝掩關此中雞犬亦閑閑路尋殘雪荒烟外家住寒塘古木間花近幽人常得壽石如野叟不嫌頑蕭然笠屐江湖上只有漁樵共往還

乙亥十二月十九日祝東坡九百歲生日分得百字

景祐丙子冬星精降奎壁城西紗縠行夜靜虹光赤人間

玉局仙天上金華伯文章冠制科姓名羅黨籍命宮坐磨蝎垂老瓊儋謫欲求陽羨田終賃毗陵宅飛仙歸碧落桑海今幾易上溯嶽降辰歷年剛九百佳日攜壺觴勝流萃裙屐一樽爲公壽春酒玻璃碧玻璃春眉州酒名見放翁詩題名馬券書畫像龍眠蹟三蘇祠東坡像爲李伯時所畫千秋留寶翰神采猶奕奕供以玉梅花疏香拂瑤席紫裘腰鐵笛誰是黃樓客馬券帖東坡畫像皆是日座中所陳

折枝吟

詩鐘爲閩賢創格名曰折枝其體製詳於易石甫詩鐘說夢丙子新春靑溪社以此命題課卷寄余評校囘憶舊京社集糊名唱榜奪錦簪花此樂不可復得而社友亦強半零落矣評校既竣爰題四絕於卷後

白蓮社裏客攢眉銅鉢聲高玉漏遲何似青簾銀燭畔雙鬟低唱竹枝詞

奪錦張燈語笑譁一枝紅插帽簷斜丹青寫入徐熙譜（徐熙工畫折枝花）便是春風及第花（舊京詩社每屆新春張燈奪錦前列者贈花一枝）

鏤葉瑚花字字工陳（弢菴）樊（樊山）曾（重伯）易（石甫）各爭雄錦囊多少嘔心句都付秋墳鬼唱中

碎錦枝枝費翦裁（詩鐘有碎錦格）青溪詞客本多才江南寄到梅花訊冷艷寒香入手來

丙子上巳瑩園脩禊分得天字

楊柳垂絲草帶烟園林風景漸暄妍清池曲榭流觴地澹日輕雲罨畫天感舊況當衰白後傷春更在落紅先聽鸝亭館行吟慣記種桃花已十年（自丙寅以來常到此脩禊昔年吟侶散若摶沙矣）

題傅沅叔雙鑑樓圖

我昔夢入嫏環中丹樓縹緲十二重云是神仙之册府琅函瑤笈光熊熊披圖令我憶前夢靈境乃與藏園同藏園居士抱仙骨名高四海稱儒宗鞭龍驂鳳游五嶽遍探玉檢金泥封歸來高卧樓百尺四部七略羅心胸丹黃手校十萬卷牙籤鈿軸排玲瓏搜輯叢殘訂譌誤精博遠過黃蕘翁傳家雙鑑尤珍祕銀鈎瘦勁翠墨濃題識爭誇百衲本（宋通鑑世稱百衲本）裝潢詎惜千金工（元通鑑得於金陵市莫子偲先未措意裝潢成乃驚爲瑰寶）櫝以文檀函以錦鈐以印記芝泥紅恍疑豐城龍劍合寶氣夜夜輝星虹嗚呼百宋千元俱散佚海源高閣楹書空此樓獨有神物護刧火不到蕋珠宮我家草堂在湖上梅花繞屋香濛濛蠹魚枯死不歸去但有猿鶴吟秋風

秋草倡和集序

素節戒旦景陽感於霜飛秋風生哀焦氏占於花落其士能怨爲音則商於時百卉黃隕深叢薈蔚流螢夕熠羣鴉暮盤念王孫兮未歸告荃蘭而不察高樓徙倚平原寂寥斜陽不溫孤煙自直感時撫事即攬抒懷此風詩三百寄慨於黍離古詠十九發端於河上者歟重以江湖浩蕩烽燧震驚民歎其魚鄰有突豕陸渾山赤掀海水以俱翻震澤波黃播禹原而爲壑國憂危於厝火人命弱於輕塵生也不辰乃丁斯會小雅怨誹之作靈均憂憤之音託微波以通詞哀高邱之無女原爲小草遠志何言廹此窮秋興懷成詠苓泉居士倡爲四篇徵錄和章裒然一集霜鴻應絃寒螿答晚泠泠石上之韻淒淒籬下之吟雖復宋玉託

諷微詞實多杜牧憂時罪言不少要其旨歸衷於忠愛古之君子莫有廢也嗟乎天低白日愁聞勅勒之歌地長紅心或是萇宏之血蕪城狐嘯明遠之賦何哀蘇臺鹿游越絕之書可念留爲本事傳之後來苓泉將梓其詩余爲之序云江甯夏仁虎蔚如父作於枝巢

秋草唱和集

雲日懐澹江山泬寥北雁驚霜南烏繞月寶玦王孫之感錯刀美人之思萬事廹於窮秋百憂萃於遙夜顑頷傷時之士造端觸緒言愁欲愁枯桑力盡猶識天風老柳心空慣經野火於是睠懷葵麥托興蘭荃緣子荆零雨之思理元長朔風之咏寤歌於槃澗衡門之下響答於神皋寒吹之間和成燕筑無非變徵之聲彈入湘絃同有離憂之意采輯篇什都爲一編聊比於漆室之吟歗汐社之唱酬而已苓泉居士識

秋草

楊壽枏 味雲

悔從南浦種愁根荒徑蕭蕭自掩門青鬢凋殘名士感紅心悽黯美人魂寒螿吊月聲都咽瘦蝶棲香夢不溫依舊

畫橋西畔路冷煙疏雨寫秋痕

關榆驛柳盡驚霜莽莽寒蕪落日黃獵騎撤圍驕雉兔穹廬籠野散牛羊空聞馬草征邊餉誰向龍沙弔戰場摹得南朝金粉色陸渾一火便蒼涼

菜色淮南十萬家青青巷陌長銀沙玉鈎積雨銷煙翠銅輦經潮鏽土花浪没枯蘆惟聚雁波沉僵柳尚棲鴉西風搖落蕪城路空記春郊走鈿車

霜風吹到寸心枯一碧如煙澹欲無漢苑但聞栽苜蓿吳宮猶憶朵蘼蕪荒陵冷落蝦蟆鼓舊院飄零蛺蝶圖昔日繁華多閱盡青袍顏色也模糊

和作以收到先後爲序　楊增犖　昀谷

小院風低霜氣遒夢乘涼月上邊樓吟蟲淒切蓬蒿徑斷

雁漂苓蘆荻洲戍卒傷心談廢磧王孫失計信浮漚老漁
卻有蕭閒意醉臥荒灘了一秋
南浦波光捲夕暉風前敗柳兩三枝鷓鴣曬翅爭頹岸蠛
蠓搜魂出破籬古道屢經樵子改荒村曾與酒人期豆棚
瓜架無尋處牆壁還留少日詩
幾家搖兀寄河濱四面寒沙晃似銀倦蝶低徊惜殘夢冷
螢顛倒覓前身閒情憐汝垂垂減秋味如今步步親繞徧
蒼灣得幽境一叢野菊待何人
冷露微茫化作煙百回飄轉在崖前鴉栖病樹悲陽九鷺
立危檣說大千海角天涯等蕭瑟春風野火總因緣美人
若問無生法土梗忘情最解禪

和作　　王揖唐　逸塘

野火漫天幾度燒西風捲地莽蕭蕭荆榛塞路誰能問鷹
隼盤空氣尚驕烏拉高寒出神藥蠡湖上下亘新潮人間
亦有徐黃筆浩蕩秋心未易描
八公威震膽俱寒露濕雕鞍拂未乾雁陣北移雲漠漠羊
城南望海漫漫煙沙黑水邊風緊金粉青山夕照殘秋色
惱人行不得莫愁湖上怯憑闌
碧雲乍冷奈何天容易繁華又一年公子風流迷蝶影家
山破碎黯狠煙殘茵酒薄花無謂凍角霜高馬不前秋雨
淋鈴歌半闋榆關回首總淒然
滿眼蕭條劇可悲天涯地角几離離轉蓬身世宜知命鋤
菊年光但賦詩寡過未能滋蔓易救時有志出山疑秋來
難得憁前緣生意蟠胸欲語誰

和作　　孫雄　師鄭

故交零落付陳根寫怨蓀荃靜閉門息影時尋鱸膾夢拔心不死杜鵑魂（曾見滬上報紙有以拔心不死四字為孤燈虎隱口景廟御名下一字沉痛極矣）芳久耐空階冷獨旦難教錦被温塞外秋高馳鐵騎刼灰滅盡舊巢痕

胡笳動處降嚴霜染到榆林戰血黃橫草飛行誇射虎把茆面縛等牽羊幾人馬革馨千載萬事鶯花夢一場帝子方沽千日醉回旋舞袖試伊涼

方寸桃源靖節家積薪厝火歎長沙遣愁偶賦僧鞋菊避世思栽佛鉢花莎渚荒涼睡江鴨蕊宮肴戀宿神鴉荊榛塞路芝蘭悴悔讀芸編富五車

嗸鴻徧野草根枯巧婦營炊錐也無胡虜排牆衝薜荔故

夫避道憾蘼蕪蓬蒿早沒窮儒徑蓂莢難稽瑞應圖願向
不其山下住亭前書帶已模糊

和作　陳寶琛弢庵

黃落山川未足悲百昌榮悴各因時試尋澤畔芳無變不
向風前勁孰知天接斜陽看轉迴地鄰古塞恐先衰八公
从在商聲裏那更蘆笳日夜吹

一從涼吹轉蓬科拾翠無由近御河別後園林深積葉舊
時池籞冷殘荷掘根險爲饑鴻盡刈薦能禁戰馬過頭白
王孫歸得未亂蛩如雨繞銅駝

遲暮偏爲天所憐忘憂忍辱且留連隕霜不殺庸非幸茀
道難行孰使然生意未隨枯樹盡幽姿還襯晚花妍風沙
彌望朱顏澤輸與籬東老少年

紛紛叢菆薄望秋零莫怪征袍褪故青正借繩芟訂年歷漫因蔆薇怨騷經無情不分來飛蝶同腐終羞託化螢未報春暉心豈死寒荄有日吐芳馨

和作　　趙椿年 劍秋

莫從輦路問金根南內西宮盡掩門螢火已無隋苑迹杜鵑空拜蜀都魂玉階長信霜偏早寶玦王孫夢不溫試向五陵原上望裙腰何處是春痕

月照平鋪大野霜風吹低趁陣雲黃三邊地已看調馬五夜車猶誤引羊玄菟積骸餘宿莽義山詩可惜前朝玄菟郡積骸成莽陣雲深黃龍清酒慰沙場胡天一雪離離盡誰念關河有早涼

休隨蒼楚歎無家杜老江邨有白沙朱雀橋邊舊時燕青蕪國裏後庭花羽書列陣千行雁社鼓神祠一片鴉支拄

疾風須勁力蒲輪多爲致安車
卷葹心在恐終枯留得青袍色欲無粗糲百年惟澹泊蓬
蒿三徑總荒蕪閒庭生意商飈館野燒平原射獵圖欲覓
西園舊行迹飛來黄蝶不模糊

和作　夏仁虎蔚如

荃蘅芳歇斷聞根小衖西風晝掩門已向東山消遠志嬾
從南浦問離魂天低遠樹迷難辨日落平原慘不温白葦
黄茅共蕭瑟相看渾不似春痕
薊門昨夜警新霜大漠煙孤月色黄憑社何心縱狐鼠食
人有史紀魚羊可憐落日鴉盤地曾是春風馬射場聞道
析津歌舞散屐痕重覓轉淒涼
舊京終古帝王家綠黯瀛洲散玉沙朱戸凝塵縈蘚跡銅

鋪遺雨繡苔花驚廻綺夢棲寒蝶啄盡紅心集暮鴉晚出
猶留痕一道當年曾此走宮車

燒盡春生總不枯鄉心略似此心無西風一棹飛黃葉秋
水經年上綠蕪長者轍稀容不埽王孫老矣復何圖謝家
書札殷勤淺碧池塘雪已糊

和作　郭則澐嘯麓

幽情誰道得天憐畫徧傷心夕照前荒戍寒捎千里夢蕪
城澹鎖六朝煙若教當路終多忌肯信焦原有獨全又見
寥空鷹眼下秦川霸恨自年年

一去寒林別路長蕭吟步步與廻腸西堂影斷前春雨南
內愁生昨夜霜末刼此心猶本穴晚途何處不迷陽恩袍
漫與衿顏色慘綠如今亦老蒼

鶩飛曾負五湖期泗水亭荒又一時衰景相催餘塌颯芳情未盡強支持黏天雲亂征鴻没劃地霜多病馬知獨上高邱忍回首兩京陵闕總離離

搔鬢西風莽夕陰一番雨過便秋深留根亦解饑腸厄爲蔓翻愁戰骨侵天地無情歸肅殺江山如夢等銷沉思量惟有春暉戀寸寸難枯是苦心

和作　　宗威子威

斷磧荒沙悔託根春風輕送出關門北切易萎無情碧南浦難銷送別魂氣曰悲哉哀宋玉樹猶如此歎桓溫可憐一片焦原色經過胡天刧火痕

已非夏綠況經霜何草詩人賦不黃踏破邊關回紇馬嚙殘海角子卿羊萋萋春色忘歸計草草秋風便下場休借

客兒鬢鬭取玉官古寺太荒涼

莫誤蕪城作帝家邊風獵獵起龍沙宮苔久蝕青銅鏡庭草深埋玉樹花秋老南園飛瘦蝶天低大漠落羣鴉寒郊荒徑行人少聞走雷聲一夕車

恨葉愁苗死不枯一坏乾淨土眞無荒陵風雨渾如夢故里田園近欲蕪除是幽居蘭可惜莫嫌當道蔓難圖入簾尚憶青青色蝸篆分明壁上糊

和作　　趙元禮　幼梅

靈芝自昔說無根蕭艾何由尙礙門遠客羈愁縈別賦勞人心緒墮吟魂出山藥裏依然小零露籬根總不溫舊日裙腰今瘦盡落花荒徑綠留痕

葭蒼露白漸爲霜入望茫茫出塞黃雨潤香痕迷蛺蝶風

吹低處見牛羊渡頭晴暖三春夢原上榮枯一劇場墨蹟涪翁留拓本幽蘭賦就寫蒼涼

淡煙疏雨野人家翠竹連村映白沙生意婆娑如此樹故宮寥落可憐花嚙餘舊迹嘶征馬寒到疏林警暮鴉煮豆然萁煎太急不堪檻檻走兵車

卷葹心苦未全枯明滅斜陽影欲無綠徧平原憐苜蓿采來香徑憶蘼蕪秋風茅屋詩人宅春暖芳郊仕女圖墜絮飄萍搖落盡萋萋洲畔共模糊

和作　　江庸翊雲

怯寒向夕掩重門不見青青舊日痕駘宕春光原似夢惺忪涼雨已銷魂將蒿作杜知無倖非種宜鋤豈待論只恐春歸歸未得天涯從此怨王孫

薄寒時節雨蕭蕭況復邊風響泬寥霜後有誰留屐齒春來仍許門裙腰非花敢冀旛能護出塞須知馬最驕殘月疏星休錯認平蕪無盡處不通橋

一夕驚飈捲地吹隔牆花葉共離披誰云野火燒能盡不是春暉報豈遲縱化流螢須腐後莫教鶗鴂有鳴時胡天九月霜淒厲翠袖單寒恐不支

梧桐葉落柳初殘蕭瑟門前水一灣深淺易沿歧路去穠葱曾當好花看寧期滋後翻爲蔓莫信除時尚惜蘭但祝來春勤灌溉參差長傍玉闌干

和作　　孫　雄　師鄭

風疾嗟無勁直根將軍跋扈莠生門椒房元舅司農職蘭寢新人姹女魂草澤揭竿起陳涉江潭撫柳愴桓温孝陵

佳氣方蔥鬱瞬息煤山沸燒痕

鶯飛草長幾星霜江左民膏唼蟹黃啜鱒羹唼蟹黃見洛陽伽藍記謂嘲吳人也夏暍無陰悲鋋鹿秋毫必析憾宏羊別離遠道思千里

搖落荒村夢一場遺事開元休苦憶叢生醒醉與迎涼均草名見開元遺事

瓜蔓東西引兩家驕思胡騎咽龍沙李陵苦拒賢王隊馮道家傳長樂花民散如蓬風裏雁兵饑覓食雪中鴉嫩江白草凝新血射羿彎弓奮左車

羈人祭墓寸心枯離黍私憂滯穗無粥飯蔞亭思困阨田園栗里久荒蕪芳華久歇音聲樹稼穡誰陳耕織圖依樣葫蘆閫鎖棘冬烘幾輩眼迷糊

和作　王克敏 叔魯

九月涼飆塞草衰凋零似我髮絲絲風中偃仰嗟身世地上榮枯識歲時恐絶根株施灌溉許多枝節盡離披回思河畔靑靑月往事徒令壯士悲

秋末王孫竟未歸蕭蕭瑟瑟斷芳菲已隨落葉同花葬豈敢凌霜怨露晞悔未掃除蚫蠍伏倘先畜牧馬牛肥傷心千里平蕪地不更煩君獵一圍

尋幽出郭過山腰滿目離離山下苗趁此淸光鷹眼疾夷爲平地馬蹏驕還思天借秋陰護未必人憐野火燒他日刼痕親指點可能下問及芻蕘

居然腐化尙爲螢熠燿微光炫月明蝶戀餘芳千萬緒蟲吟荒徑兩三聲蘭摧蕙折他人手感物傷時此際情不受噓吹甘踐踏待將春至自還生

和作　吳鼎昌 達詮

秋盡江南奈若何壯心摧折已無多風來絕塞凄征笛日落平原咽挽歌野火自燒空悵惘春暉遲報幾蹉跎秦淮河畔千重霧鏡裏繁華轉眼過

王孫別去客何依遼海秋深阻鶴歸瘦蝶倦隨香夢渺殘螢怯傍羽書飛誰禁黑水銜千尺猶捲黃沙獵一圍城壞營荒天似墨寒光蕭瑟上戎衣

朝來獻曝已嫌遲早有嚴霜報爾知蘭蕙當門供剪伐豆萁共釜泣離披豺狼憑藉終難饜鷹隼盤旋正苦饑落葉飛花同一逝相憐相惜幾多時

幾番秋雨點蒼苔坐待春風送我回殘臘催人須作結餘芳委地易成灰河山缺處珍零稿霜雪堆前護凍荄草草

生涯元不盡寸心何惜瀏塵埃

和作　　丁璦 蘧卿

秋原一燎火連空窮塞先看白草紅盈室蔾藨方擾擾緣邊松杏盡童童榮枯初不關青帝蹂踐終將徧紫棠謀野諸公能獲否回黃轉綠盼西風

歸去王孫喚奈何康成書帶染丸螺悲深風雨含元殿唱罷牛羊勅勒歌醉酒丹楓人共笑飄金黃菊地無多墨胎亦逐中原鹿薇蕨西山不忍過

襄陵巨浸失蕪菁洗盡田廬未洗兵得志長林羈走鹿亂飛髡樹借羣鶯蛾眉尙朵香畦佩馬鬣都堆戰壘平白葦黃茅皆國櫄何勞荀鶴記科名

淒對陳根感舊人寸心何以報三春通書掩映窗前碧論

語平添竈下薪荃莅靈均無寄託蓬萊仲蔚獨逡廵斧斤
倘向南山見清露巖阿伴幸民

和作　　周學淵　立之

千刼難銷是夙根銅駝依舊守宮門羊車去後饒霜露雕
輦來過冷夢魂自是紅心鵑化苦更憐紫意麝添温剩揮
一掬靈均淚灑向金鋪展舊痕

西風已換玉關霜八月胡天已自黃誰遣東昏空射雉忍
教屬國獨看羊塵埋馬革新持節風勁龍沙古戰場何似
虞兮陌頭舞銷沉霸氣更蒼涼

清溪猶憶小姑家冷意萋萋月薦沙金粉飄零虛占色玉
驄蹴踏恨非花西園蜂盡仍招蝶廢院螢空尚噪鴉莫便
獨尋荒徑去三朝庾信感廻車

了將生意漫噓枯芹藻遺休剗地無野火縱能燔惡棘春風未必宿寒蕪長懷仙侶三芝秀誰繪騷人九畹圖妬却青袍好顏色秋林一滴總模糊

和作　　夏仁虎蔚如

頻年鬱鬱見孤根一片蒼然入玉門隴道愁聞鸚鵡訊巫峯空拜杜鵑魂西風苜蓿終憐瘦舊夢蘼蕪不再温欲向陰山訶敕勒秦王試劍可留痕本草云鹿蹄草一名秦王試劍草

宵來黑水點胡霜烏拉奇温藉地黃橫比終童殲虜騎坐憐蘇武牧羝羊疾風僅見眞男子野燒平開好戰場聞道孤城雄鼓角綿綿遠道寫蒼涼

難取蕪城作帝家王孫飄泊入塵沙青瑚色映腰間玦錦樹訶殘陌上花荒徑暮煙聞走鹿平原寒色在啼鴉玉階

漬雨莓苔滿鹽汁何人爲引車

千里青靑十日枯將離誰與贈文無重來池館眞如夢歸去田園倘未蕪素女軍旗遲馬射黃生苑本卷鷹圖宣和畫譜梅思行黃筌皆有鷹圖黃筌寫杜甫草枯鷹眼疾詩意東風盼發明年綠燒跡斕斑借雪糊

和作　孫雄　師鄭

畫蘭心史已無根鵂寄荒城薜荔門池館踏青懷褉集樓臺凝碧殢吟魂尋詩坐愛楓林晚耐冷猶餘桂燼溫吟侶丁闇公章曼仙均宿草履綦難覓舊苔痕

先零蒲柳鬢成霜江管愁吟蕙實黃江文通青苔賦秋蟲吟兮蕙實黃早識潰隄由穴蟻誰憐挾策竟亡羊邊聲吟嘯羈窮塞墓祭悽悲弔戰場大好河山委榛莽瞬看冬殺與厖涼

夢斷池塘小謝家驚飆背郭卷平沙歸程休問王孫草舊
曲慵箋帝女花伏莽訛言傳市虎殘枝終古戀寒鴉吳宮
響屧猶承寵舞袖迴旋七寶車
沉災遺子似魚枯懸磬蓬門錐也無指佞漢廷虛屈軼懷
沙楚客寫蘅蕪飄茵不出旁觀料滋蔓難從事後圖史料
叢殘付檮杌汗青亥豕任模糊

和作　　　　　　　　　　　　　　　丁　琰 瀟卿

秋郊卉木共蟠根驕日驚飆白下門蒼玉東皇難造命綠
波南浦久消魂薪移曲突誰懲霍火照靈犀總忌溫千里
青青如一夢芳華今賸野燒痕
蛩螿淒訴怨繁霜北地風霾映月黃望裏晨昏爭燕蝠生
來日歷付牛羊旃穹逐水和戎議花雨鋪茵選佛場氷雪

炎歊俱可耐荻洲蘿石太悲涼
四野萑苻哭萬家可憐碧血和蟲沙霜凝玉露融猶澤葉
落黃林幻作花戚畹松枝欣引蔦牧場牛背亂啼鴉彥回
鬢爲山陰摘門罷齊宮上錦車
遠志東山奕局枯風聲驚走老堅無亭分梁楚瓜餘蔓水
溢江淮樹似蕪錯繡惟成相斫史踏青追寫上河圖豈蘇
偏把相思寄劉柳珠盆貯斗糊

和作　汪曾武　仲虎

寒螿露冷泣秋根詩筆如君有悟門名士美人胡蝶夢闕
山明月杜鵑魂吟稱瘦髮神何王醉醒芳心酒尙温寫盡
王孫無限恨銅駝陌上着苔痕
未曾火燒飽經霜極目榆林夕照黃生意蕭寥參愁狡兔般

心惆悵補亡羊蘼蕪舊感傷春地沙漠新開講武場滋蔓
難圖芟不易斷腸處太淒涼
望斷鄉村八九家莓苔洗盡聚寒沙非關海水生新汐那
許吳縣覓晚花淮北秋聲悲唳雁江南春夢付啼鴉荒涼
一片荊榛地何處登場轂滿車
不其書帶早摧枯欲付哀吟句轉無故國河山悲慘澹大
江南北歎荒蕪蓬蒿依舊迷秋徑喬木如今似畫圖蕈莢
漫稽符瑞志繁華過眼總模糊

和作　　曹經沅纕蘅

幾年弱蔓便緣岡狼藉甯禁一夜霜前度屐痕都黯淡昨
宵螿語總悲涼烏頭空有還鄉夢寶玦猶留去國裝佳氣
五陵今在否儻容詞客賦長楊

寒潮寂寞打空城付與衰楊綰送迎三月鶯花同曉夢九
邊羽檄帶商聲疏簾幾換青青色歸路重歌緩緩行一段
池塘榮悴事沙鷗坐閱豈關情

搖落亭皋萬木凋誰知勁節轉堅牢出山翻笑深源淺閉
戶還師仲蔚高爲惜單寒傷翠袖肯緣顦顇羨青袍貞心
不共荃蘭化我欲拈毫續反騷

嚴霜見慣總能禁儘有纏綿向日心寒地誰憐依托少孤
根自信鬱蟠深荒荒古道驪車淚惻惻涼宵漆室吟稍待
春風回黍谷羅生終傍玉堂陰

和作　　陸增煒 彤士

白日昭昭白露霏悲秋宋玉此增欷隨萎蘭蕙常滋懼變
化荃茅莫見譏生意未同枯樹盡閒情已少落花依佳人

空把遺芳玩欲報春暉心事違
繡𩌏舊印渺紅羅踏踏休歌藍采和數點莓苔生玉砌幾
叢荆棘没銅駝末光猶帶昭陽日餘潤難沾太液波盼斷
王孫歸未得西宮南內已無多
樂游原上露華零朱雀橋邊夜景冥江水可憐揚子碧溪
痕還照小姑青勞人共灑新亭淚名士重題陋室銘柳色
白門相映處歌成河畔不堪聽
玄菟城荒百卉彫平蕪彌望路迢迢征塵暗逐涼風起戰
骨紛隨野火燒盼到將枯鷹眼疾踐來欲盡馬蹄驕明春
更作池塘夢莫怨鶯啼不到遼

和作　　　　　　　　　　　鍾廣生 愻盦

記曾春色麗皇都轉眼淒清物候殊輦脚早隨零露没池

頭深鎖禁煙蕪疾風摧節知誰勁野火燒痕豈易蘇何草不黃周道靡離離原上有嘑鴣〔思舊京也〕

江漢波濤接大荒萬家沈竈雨侵牆寒蘆淺沚粘天白衰柳孤墟羃日黃補屋未勝盈掬采嚼根猶說細叢香青青漫野都無色湖上題留幸草堂〔憫災黎也〕

馹騎傳烽落舞筵內家飛燕尚迴旋青歸宛馬關前雪血漬弓衣塞上煙胡蝗銷魂秋黯黯羝羊來寢草芊芊王孫歸去知何日怨恨東風已隔年〔刺東昏也〕

秋風秋雨掩芳菲中露行歌歎式微蓬累不嫌當戶礙孤根原與出山違獨憐幽怨明妃塚爲報春暉孟母衣誰解蓀荃忠厚旨蒼茫家國痛全非〔傷我生也〕

和作　　沈　著〔公卓〕

澹煙疏柳畫難成如此飄蕭不忍聽塞外天高霜氣早江南露冷客心驚秋深鶴唳三邊戍夜半風號萬籟兵一種榮枯關造化人間何處不蕪城

南浦秋容入望中啾啾荒徑咽寒蟲子卿海上無歸鴈仲蔚門前積斷蓬賸有幾根逃野火尚留一息待春風鶯花往事曾何許黯淡黃雲遍大東

西風野燒已燎原無復離離向日蕃古道寒山餘晚景大隄夕照冷前村琵琶曲歇王孫夢瓊樹歌銷帝子魂故國凋殘多少恨蟠胸惆悵不堪論

迤邐郊原陌上過刼餘到處采薇多童謠有讖悲千里父老無心頌九歌任是關山馳鐵馬竟逢荊棘卧銅駝揭來滿眼滄桑感便擬結茆向澗阿

和作　　　　　　　　　　　　曹經沅纕蘅

銅駝陌上劇荒涼況復離披帶曉霜愁向菰蘆聞客語生憎鶗鴂損年芳黏天曾作無邊碧匝地真成一片黃目斷穹廬人萬里涼風九月臏回腸

休言被酒不成妍倖色終推老少年流水棲鴉斜照裏蓼花新雁晚涼天人稀香徑虛游屐露冷荒洲繫釣船秋雪庵前吟望苦寒泉一醆薦詞仙

偃蹇何辭溷路塵若論心事亦勞人飛來寒蝶應同夢化作流螢是後身抄蔓我憂千里赤誅茅誰念萬家貧歲時悟得榮枯理肯種閻浮有漏因

眼前十步便銷魂落葉聲中靜掩門生意不除思茂叔沈吟偷活誤梅村卷葹拔後心甯死迷迭燒殘味尚溫書種

莫疑今日盡不其山下有孤根

和作　　汪榮寶袞甫

紫塞風高百卉腓鹿場難認舊時圍蜥冰胡馬蕭蕭渡衡雪王孫緩緩歸伏莽自隨邊吹起飄蓬還作陣雲飛松山不改青袍色感逝能無泪滿衣

江南風物轉淒淒一望平蕪落日低逐肉未妨鷹眼疾採香臢遺蝶魂迷古苔留碧前朝寺衰柳爭黃十里隄春水淥波相送地不堪𢌞夢舊青溪

極目金臺夕照蒼青青千里盡經霜上山非復蘼蕪路過闕空殘薜荔牆餘燼已憐螢火盡寸心仍託卷葹長閒堦徙倚尋啼碧不爲離人自斷腸

荒徑迷離庾信園酒餘藉坐自知暄春池入夢猶生意霜

野成游只燒痕共向疾風標勁節終迴寒日照陳根疏籬
惟有啼螿伴欲和新詩已斷魂

和作　　夏仁溥　博言

南內孤芳舊託根西風瘦損閉門紅心疑染宮人血碧
海誰尋帝子魂寂寂銅溝流水老荒荒金砌夕陽溫枯叢
賸有斑斕在知是煙痕是淚痕　故宮

已嗟天壽剝冰霜東峪西陵土冷黃寂歷斜陽眠屓屭蒼
茫平楚下牛羊守宮老監除殘燒祭野神巫作道場竟有
赤眉攉宿草金凫玉椀太悲涼　荒陵

那復鴻溝界兩家千軍如墨化蟲沙殘餘照裏明袍血莽
蕩叢中冷劍花青火燐飛驚夜鵲黑雲都散鬧寒鴉秋風
瑟瑟聽聲起猶似當時走礮車　戰場

窮邊萬里望全枯孤壘蕭蕭守得無南八支撑知節勁耿恭搜掘到根蕪堪憐白草黃沙地太息青松紅杏圖塞馬悲鳴遼雁阻至今消息總模糊 孤壘

和作　夏仁沂　枚叔

寄迹巖根與石根衰頽依舊閉門徑荒栗里陶公隱月冷湘江楚客魂白髮對看憐瘦損（李白詩白髮如秋草 孟郊詩秋草瘦如髮）斜陽烘襯伴寒温（陸游詩極目斜陽襯衰草）蕭條野性山中老不辨前時雨露痕

早識西風夜有霜笑他滋蔓門蒼黃邊城落日空馳馬海上羈人倘牧羊憔悴正須防野火芊綿終竟覆沙場王孫已隔天涯遠愁聽荒原角語涼

記從南浦客辭家又見胡塵雁落沙千里青青變顏色九

邊皓皓染霜花美人芳訊驚嚎鳩古戍寒煙集亂鴉陌上
可憐堆戰骨更無人駐七香車

天心何事判榮枯金勒驄嘶記得無倉卒入公警風鶴繁
華一夢醒煙蕪銅駝北地多荊棘粉蝶南園舊畫圖芟薙
茅齋作歸計（杜甫詩茅齋付秋草）零星雙髩已模糊（朱子詩雙髩颯秋草）

和作　　王承垣　叔掖

廢苑離離託宿根舊巢回首最銷魂苔侵玉虎迷宮井棘
隱銅駝閉禁門夕殿尚餘螢火點寒蕪臏有鳥聲喧當時
輦路經行處一片傷心落照昏

絕塞天低入莽蒼悲笳聲咽陣雲黃無情荒蔓都縈骨極
目平沙總斷腸埽穴正宜伐狐兔緣坡何處見牛羊玉關
自古春難到憔悴征人鬢已霜

淒絕山程更水程荒原眺盡暮煙橫綠波舊夢思南浦白首新愁賦北征泛梗年年悲往迹轉蓬處處感平生西風怕聽陽關曲悵觸王孫送別情

舊家臺榭半荒蕪滿眼蒿萊景物殊羅掘已教根易盡芟除休使蔓難圖眾芳銷歇鳴鶗鴂三徑淒涼叫蟪蛄賴有卷葹心不死燒痕留得待春蘇

和作　宗威子威

蕭條皐壤哭陳根一夜西風鎮打門眾卉不芳酣暮色萬山全暝送秋魂芟薙淨盡新愁積歸尚留連舊夢溫俯瞰平原鷹眼疾枯荄斷梗了無痕

胡笳侵曉警嚴霜莽莽關雲一片黃隴畝無人驕燕雀戎夷內徙識魚羊商將出處羞偷活鬬罷輸嬴忍散場驛道

經過生意盡不堪殘曲唱伊涼

王孫歸去已無家輕騎倉皇蹴亂沙縈骨方憐新引蔓依牆難覓舊栽花蓬山密簡通青鳥榆塞孤軍散黑鴉憑軾有人觀戰處荒郊碾破使臣車

卷葹不死不甘枯培植根苗土也無荒葛崩榛迷去路盲風怪雨逼平蕪霜威絶徼胡雛嘯野燒陰山夜獵圖此後郊原驚改色欲談往事總含糊

和作　　胡吟盦

離離原上歲枯榮莫向西風怨不情鶴唳聞時齊變色馬蹄踏處漸吞聲尋芳逐蝶思前事化腐爲螢認再生萬里關山秋信緊參差猶自護邊城

由來滋蔓最難圖狂捲風沙一夕呼野火燒殘迷遠塞遼

天望盡入平蕪毫顛凝白霜痕重眼底回黃景物殊縱使
明年依舊綠王孫何處是歸途
銅駝荊棘漢宮荒憐爾萋萋映夕陽昔日圍場空廄圉當
年輦路繞池塘坐看胡虜驕嘶馬幾度見蘇卿冷牧羊萬樹
千花誰顧惜從知物態亦炎涼
芻蕘無力補蹉跎滿地彫零可奈何不勁那禁風正疾欲
行翻畏露方多龍蛇大陸難潛伏蛩蟀空階自詠哦來日
更看冰雪厲蟠根屈節待陽和

和作　楊圻雲史

洞房連闥擬王根金鎖經年綠掩門此地樓臺橫落日當
時雨露黯銷魂長城飲馬呼無渡銅輦移衾夢不溫搖落
扶餘尋戰迹虬髯營壘已無痕

青青河畔忽嚴霜關柳絲絲一例黃野獵有聲疾鷹犬春耕無地散牛羊紫泉腐火明遊夜白骨縈沙弔戰場爲報江南秋亦盡雞臺寒綠共淒涼

部曲何人不憶家念家山破望龍沙疾風此日皆蓬梗碧血今年已土花野哭連原收戰骨故宮無樹可棲鴉王孫努力東歸計背水還應拜左車

微霜一夜便催枯生意遙看近却無豈有神蛇當大澤好憑星火燼寒蕪馬前雪擁猶天末柳上春歸是後圖悽絕幼安遊釣處盧龍原色已模糊

和作　　劉　異　蕙農

生涯已分託蓬根誰遣萋萋度玉門燕子斜風黏去影黃花微雨淨秋魂飄蕭靈髮和天老顛頓青袍待酒溫腸斷

西風狠藉夜煙深月落夢無痕

纔驚零露倏飛霜脈脈關河雁影黃千里平沙嘶白馬一宵野火換紅羊兵形搖落干戈地書帶飄蕭翰墨場莫憶昭陵香徑輭翠華銅狄久荒涼

夢醒池塘憶謝家同根忍聽化蟲沙無心已絕知風節衛足還開向日花雪塞胡笳悲牧馬蕪城鶯樹剩啼鴉陸沈何處傷禾黍幸草猶欣傍覆車

碧闌干外幾茂榮枯一道裙腰黛影無公子歸來傷杜若美人老去戀蘼蕪棲紅香冷三三徑轉綠寒深九九圖欲覓叢蘭添玉珮江南江北總模糊

和作　　徐亮佛初

神芝秀茁本無根一碧平蕪接白門洗盡青谿名士習刼

餘黃土美人魂送君南浦春難駐得句西堂夢不溫若再大功坊下過王孫何處拭啼痕

堅冰消息履晨霜一夕榆關草木黃慘澹經營藏狡兔婆娑生計瘦羣羊入山易感蘼蕪曲出塞興嗟荊棘塲長白蜿蜒餘苜蓿飽騰胡騎朔風涼

野火燒殘十萬家孑遺黃浦數恒沙喧喧笳鼓茸城路寂寂霜鐘古寺花一粟荒庵容睡鶴半泓衰柳噤啼鴉春郊前度斜陽好踏遍青青步當車

分明一歲一榮枯遙望燕臺近却無禾黍故墟眠石馬王侯舊邸長青蕪瑤堦指佞非當道神器宜男悔晚圖珍重寄生題壁句碧紗籠罷又重糊清末北京無名氏題寄生草詩於廣和居壁間頗爲一時傳誦

和作擬禪門四詠　　　楊增犖 昀谷

萬里雲山寸寸秋蓄疑還似積茅留途中密語虛徵鵲沙際微光錯覓鷗日暮每憐蘭若減霜嚴稍覺草鞋優黃花參徧了無得冷處時時夢趙州 行脚

坐見四山青又黃往來秋徑十分涼蜘蛛解網禮殘塔蚱蜢懷馨隱廢墻舊剎重新微恨晚老農相約共鉏荒佛門那用金鋪地苔蘚幽寥意最長 住山

茫茫塵刼久無師此日拈花倘未遲山色溪聲早留識木人石女乍軒眉斷霞隨喜參玄境遠籟將秋報勝期枝蔓芟除渾剩語心空始是到家時 開堂

老嬾相依七尺笻尋幽更不問西東禪龕久負供花鳥梵夾誰搜篆葉蟲簷月多情訪深院涼雲幾點補疎桐閒中

難得秋光助報答秋光有睡功　退院

和作　李宣倜　釋堪

一望平蕪損舊青淡煙斜日短長亭雙飛是處來黃蝶千點何時化翠螢不殖甯因依大樹有根終覺勝浮萍馬蹄踏遍吟鞭瘦九月寒笳未忍聽

天涯荆棘尙縱橫爽節飛蓬怨客程關外牛羊誰考牧淮南風鶴更疑兵夢闌帝子懷猶睃別久王孫恨未平一火陸渾成冷燄傷心無地慰疲氓

迤邐幽叢直到門舊游蹤跡記芳園荔垣暗換裙腰色蘚徑愁尋屐齒痕衰柳同垂零露葉早梅已返隔年魂同心取象占蘭臭獨有靈蓍易世存

河山大好入蒿蓬唧唧啾啾咽晚蟲汝自蔓延甯得久人

將剪剔枉稱豐霑來泥土飄英似枯後郊坰敗葉同爭比

荃蘅生楚澤不將衰謝付秋風

和作　　黃式敘　黎雍

江南舊治賸梅根絡緯聲悽北郭門夜雨易生銅狄淚秋風不返玉人魂歌殘朱鷺波初冷獵罷黃麞酒尙温往日青青還在否阿奴一火竟無痕

十里荒陵近我家飄蓬遙接古龍沙悲哉楚客秋爲氣歸矣吳妃陌有花大地雲深聞落雁小園露冷見棲鴉椒蘭幾日俱憔悴何況江籬與揭車

菖蒲薜荔盡銜霜聽徧童謠菜葉黃日落千山走貙虎天低四野下牛羊離人南浦春三月往事西堂夢一場萬馬無聲秋更老傷心不復奏伊涼

舊經行處艾全枯丹穴薰君事有無遷客山中愁杜若懷人江上怨蘼蕪避周但覺薇堪采入鄭猶聞蔓可圖柳塞榆關望不得盛時裙屐盡模糊

和作　用蟄雲韻　林彥京笠士

歧路王孫倘自憐忍同芊麗話從前西堂詩思終疑夢南浦離魂半化煙低處牛羊都歷見樵時狐兎那能全胡天腸斷初飛雪虛閱榮枯又一年

一片寒蕪恨阻長蕭蕭還爲掩羊腸連天驛路餘斜照昨夜溪橋有隕霜漫詡似綸東海畔未堪充膳首山陽踏青人去無消息付與苔痕百道蒼

蘭澤來尋已後期淒淒百卉具腓時晚煙瘦蝶還高下夜月寒蛩與護持心是菤葹無地死性同葵藿有天知自家

不盡憐幽意那管人間幾別離

彌望平原起夕陰碧天寥濶雁痕深東風有約更番待野火無情幾度侵留得孤根覘代謝肯因斷梗怨銷沈回黃轉綠尋常事生意依然在寸心

和作　　張伯駒　叢碧

如此江山可奈何樂遊原上事蹉跎愁聽斷角吹霜曉怕共飛蓬逐逝波古道荒涼人跡少寒潮寂寞雁聲多斜陽忍過烏衣巷王氣全銷玉樹歌

斷煙流水鎮銷魂況又瀟瀟雨打門已盡餘生還弗道猶拚垂死待燎原紫臺自遠迷殘堠黃葉初疎認舊村莫問當時飛鞚地西風一掃總無痕

關河景物太淒淒缺月殘霜送馬蹄昨夜夢回青塚遠經

年別憶綠雲低依松甯問蔭能久伏莽終憂剪未齊歸去王孫休悵絶啼鶯應許到遼西

餘芳忍使雪霜侵生意簾前感不禁鏡裏有時憐綠髮天涯何處怨紅心淥波昔已傷蘭楫涼露今看濕桂陰夢醒西堂蟲語亂那堪長對夜沈沈

和作 擬昀谷禪門四詠

吳 璆康伯

萬里尋師幻影孤西風獵獵亂平蕪藏來有虎心休怖撥去驚虵氣太麤雙足疾隨鷹眼下一肩橫逐馬頭趨幾時胸際空無物凹凸低昂盡坦途 行脚

結夏纔過靜閉門蒲團枯坐鎮無言荒荒古徑稀人跡莽莽平岡没燒痕抽盡紅心忘色相斸將黃獨見根原蓋頭茆屋何須補始信巖中氣候温 住山

火盡薪傳授鉢衣坐中衲子幸知歸頻參柏樹渾無著一見桃花自不疑頭上祖師應有意面前敗賊欲何依驗人可許匆匆過此是西來最捷機　開堂

謝盡閑名合掩關葛藤支蔓喜全删荒祠落日人初去舊路飄風鬢已斑萬點流螢隨逝水一聲清磬滿空山無情說法誰能會漫道心如木石頑　退院

和作　　王樹榮戟髯

南浦銷魂賦憶江西風又送木蘭艭舊痕曾入劉郎室生意猶留茂叔窗綠野夫須人荷一青山不借客攜雙萋萋遲暮三閭感澧有蘭兮沅有茝

破屋雙團肅氣侵悲秋宋玉費沈吟幾番蕭瑟催人老一片蘼蕪感客深春色記曾黏齒屐芳情誰與託牙琴暮年

淒絕蘭成賦漂泊江關濁酒斟

綠妬裙腰迹已陳踏青空憶喚眞眞驛煙緒觸王孫舊野火吟成白傳新周室置官傳薙氏陽關送客感勞人西來無限相思苦原上離離不算春

西園八月雨初晴蝴蝶雙飛倩影輕多病相如吟茂苑傷心明遠賦蕪城生來便有迎涼意老去猶存屈軼情十步尋芳歸緩緩好留勁節急風撑

和作　顧祖彭壽人

斜陽古道月微黃驀地西風天雨霜茂苑寒砧催急景邊墻刼火見燒荒樓空木葉家千里人在蒹葭水一方欲送王孫定何所蕪城賦就立蒼茫

風勁蒼鷹掠地飛江亭徙倚澹忘歸燒痕深淺迷青坂樵

徑參差入尋微流水年光眞冉冉關河別夢自依依詩成寫與徐波看落木庵中對夕暉

寒雨連江江路遙蘆花頭白對人驕一天涼意催將暝兩岸秋容未易描黃蘗禪心消粥鼓青袍春色流征軺未須庾信悲蕭瑟六代英雄久寂寥

歸路重過白下門陂塘風雨損芳蓀金陵王氣蒼波遠花月春江舊日痕送別主稱將進酒停雲人有未招魂裙腰一帶湖邊路多少寒螿訴廢垣

和作　　林葆恒子有

三月江南鶯亂啼平蕪彌望碧萋萋揭來屐齒千行密剗盡裙腰一道齊鷗鷺盤空偏作惡牛羊滿隴苦無棲何時重見陽和轉依舊煙籠十里堤

不除且莫怨時賢滋蔓從知信有天非種苗原鋤未易同
根豆久泣相煎西堂尋夢成前度南浦傷離憶昔年滿地
西風太蕭瑟陸渾一火總淒然
碾盡金車長信門王孫歸訊豈堪論粘天空疾饑鷹眼匝
地難招杜宇魂色映宮袍非往日夢迴銅輦又黃昏春來
轉綠非難事望斷長亭舊帶痕
九月繁霜信可驚敷榮猶足驗平生忍饑薇蕨恩長在念
故蘼蕪意匪輕敢為疾風誇勁節儻憑遠志畜微誠年來
蓬轉滋無定向日葵心故自傾

和作　錢育仁 南鍈

未能清淨到聞根驛使傳書日叩門白葦西江新歷刼綠
波南浦舊銷魂蓬壺坐看桑田變葭管難回黍谷溫茅拔

茹連剛得意秋風一至便無痕

江城九月已飛霜陰氣蕭森百卉黃戀棧詎堪容駑馬觸藩胡遽作羝羊燒殘平野燎原火淒絕長圍獵較場新綠芊眠猶昨日匆匆一度閱炎涼

路泣王孫盡毀家焚芝之痛語感懷沙輸他賦手傳枯樹贏得詩心眷落花荻渚霜威拳宿鷺蘅皋日影背寒鴉伏波終古留疑案斷送聲名薏苡車

世間何事不榮枯一碧彌天記得無騷客芳洲搴薜荔美人永巷泣蘅蕪幽蘭在谷饒生意惡莠生門兆異圖猛憶名場同草草棘闈秋戰姓名糊

和作　金式陶 鞠逸

余宦遊東省歲辛亥解組後當道某索賄不遂時余

與味雲先生未之識也越三載適先生掌山左財政
爲之昭雪今讀先生詩如見先生之爲人益愴然於
身世滄桑之感殆亦有前緣焉謹次元玉即以誌懷

腐化成螢亦慧根離離不復傍朱門天涯故國王孫恨荒
戍斜陽帝子魂四野萑苻鴻澤苦一簾風雨鴨爐溫燎原
只爲燒難爇零落青衫舊日痕

邊陲行役久經霜鐵騎奔馳木葉黃危幕飄搖難止燕枯
棋失着誚亡羊積薪已兆焚坑刼據蒺徒登傀儡場最是
民生蕉萃甚水深火熱逞炎涼

浩蕩乾坤大一家無端幻態悟恒沙談經早証須陀果咒
鉢曾開揭諦花卽色卽空參苑鹿聲聞聲滅問庭鴉長松
翠竹皆眞相莫戀楓林晚駐車

隨遇何須計菀枯託根淨土識南無流民飢饉根難掘濁世文章硯已蕪曾借春光噓短景那容朽質作良圖疾風畢竟終難偃留得生機不漫糊君宦爲有循聲因公被累余白其誣迄未識面不意晚年尚有此一段文字緣也芩泉附識

和作　張祉　蔭孫

幾曾錯節與盤根蕭瑟西風未杜門千里關山殷戰血十重簾幕護芳魂春情銷盡容俱瘦玉骨摧殘夢不溫踏徧馬蹄還記否泥犁刧後了無痕

王孫盼斷幾星霜消息江南葉正黃燐火光中走狐兎塵沙影裏散牛羊風風雨雨今何世色色空空此下場淪落天涯同一哭最難解脫是炎涼

欲訪蓬蒿仲蔚家蒼涼滿目感蟲沙久拋御苑千條柳聊

勝優曇一現花夢到玄虛應化蝶世無黑白等塗鴉烽煙
徧地繁華盡閒煞山陰道上車
生來一歲一榮枯春去樓臺舊迹無淚洒窮途共憔悴魂
銷滿地總荒蕪沾泥墮溷憐身世慘綠愁紅冷畫圖知否
談兵兵未息八公山上影模糊

和作　菰隱

南北東西盡路歧天涯何處不相思軟紅塵土看成碧慘
綠衣裳化作緇廢苑平蕪鷹眼疾荒村古道馬蹄遲飛花
飛絮飄零後一種銷魂是別離
淡煙空翠鎖蕪城金粉凋殘畫不成故國一場蝴蝶夢荒
山十里蟪蛄聲南朝屢換鶯花刧北郡還訶馬草行非種
難鋤滋蔓易春來又逐亂愁生

家在黃陵古廟西年年聽徹鷓鴣啼燒痕匝地蛩聲碎霜氣橫天雁影低漢寢唐陵俱寂寞吳山越水總淒迷無情最是長千路煙翠萋萋十里隄

千里關河望遠勞思君渺渺隔蘅皋西京禾黍傷周雅南國蘭荃怨楚騷末路才人餘白髮中年名士尚青袍兔葵燕麥空蕭瑟不見玄都觀裏桃（四詩甚佳惜未詳姓氏細玩詞意殆楚南之詩人歟）

苓泉附註

敬和長兄秋草四律　女士楊令茀

絡緯悲吟塞草根土花綠鏽上陽門紫臺空吊征夫影青塚難招怨女魂肅氣漢宮碁可卜（西京雜記八月四日其氣肅爽出雕房北戶竹林下藉草圍碁勝者終年有福）春風吳苑夢猶溫汀蘭岸芷菁菁色并付秋心化淚痕

離離原上冷清霜風偃蒹葭敗葉黃剔蘚籬邊聞蟋蟀眠茵石徑見牛羊縱橫鐵騎蟻封陣搖曳銀沙鹿逐場千載霸圖同腐草殺青往事太悲涼

脂粉芳塘帝子家館娃香徑沒平沙空餘瘦馬嘶荒甸無復春鶯啄落花大澤草枯羅祭獸古槐葉盡集棲鴉王孫歸思年時異唇火驚廻萬里車

漫向西風問菀枯池塘涼雨夢來無玉階墜葉凝紅淚金谷埋香長綠蕪隄上萋萋波弄影蘆中瑟瑟雁成圖黃雲古道塵沙裏一片蒼茫望眼糊

恭和家大人秋草四律　女士楊景昉晚翠

西堂春夢已闌珊轉綠回黃眼倦看勁節肯隨時令改孤根頗識世途難能逃野火寧非幸論衡曰火所不燔謂之幸草纔到繁

霜未是寒蓬艾蕭蕭愁滿徑幾人空谷賦幽蘭 思賢

搖落邊城昨夜霜寒沙漠漠塞雲黃臙脂奪去山無色苜蓿移來土尚香螢火餘輝原易盡兔絲引蔓故難長玉關一路傷心碧終古蘼蕪怨夕陽 憂邊

王孫何事滯天涯氊幕秋深聽暮笳拔盡蓏心終不死化爲萍梗已無家相看顑頷惟枯樹莫遺飄流似落花夢入仙山訪瑤草可憐移植到龍沙 懷舊

幽幽庭院歇芳菲前度鶯花夢已非鬬處應輸紅葉艷坐來漸覺綠茵稀池塘水退蛙猶鬧城郭苔荒鶴未歸盼到東風迴陌上寸心終是戀春暉 感時

續秋草唱和詩

和作　　錢葆青　仲仙

當年蹕路碾金根春色蔥蘢鎖苑門酥雨青迷瓊島影斜陽紅斷玉鉤魂倦開淚眼無人覺冷透裙腰倩夢溫太液池邊嗚咽水落花落葉襯苔痕

幾度蟾宮玉杵霜茫茫大陸染玄黃八千騎臥沙中馬十九年饑海上羊柳塞空聞鋪饟道木蘭無計獵圍場萑苻滿地芻秣滅不到金風便已涼

誰教帝子歎無家刷地風來萬里沙白骨亂拋前代塚紅心不死後庭花長眠廢苑千年鹿嗁斷荒林幾樹鴉壞柳枯荷搖落地寥天夢影五雲車

焉支山色已成枯河畔青青慘欲無縱有疾風凌勁草那

堪落日下平蕪曾聞屈軼能知佞菻到淸明定有圖上河圖憶汴京之盛也轉綠迴黃燒不盡東皇心事未模糊

和作　姚洪淦　勁秋

未託深山大澤根西風蕭瑟掩蓬門征塵觸動勞人感香夢驚回倩女魂涼露偶霑餘色潤春暉莫報枉心溫江南此日猶和煦依舊裙腰一抹痕

也曾閱歷幾風霜忽轉靑靑忽萎黃慣訴淒淸鳴蟋蟀那堪蹴踐牧牛羊餘情尚戀採香徑絕跡全芟打稻場幻化爲螢光熠燿星星照徹夜窗涼

書帶縈迴通德家寫生筆妙蔣南沙但能療病皆爲藥縱不知名也有花帶雨鳴哀初過雁翻風影落亂盤鴉匪民興慨經營苦牽野芃狐有棧車

因時豈獨感榮枯野燒連天一掃無艱險旅途嗟地棘荒
涼隋苑歎城蕪應醒炫彩蜉蝣夢誰寫尋芳蛺蝶圖大雪
待成銀世界新泥舊跡兩漫糊

和作　　　　　　　　　　　　　許鍾璐佩丞

秋心誰與訴纏綿眺盡荒蕪意惘然乞活寒蛩啼雨後離
羣白雁落霜前醒來詩客成殘夢歸去王孫已暮年最是
故園回首處淒涼景物可勝憐
十分生意幾分存重向河山認舊痕離黍況牽周道恨芳
蘭曾弔楚江魂料難涼管吹春起猶冀青袍向日溫金碗
玉魚同委地漢家陵闕更難論
六朝如夢等消沉唱到迷陽感不禁野火漫空殘刦盡荒
燐滿地戰雲深秋風狐兎爭新窟落日牛羊散故林休向

關河頻極目萋萋千里正秋陰

碧波南浦倦尋芳不待悲秋已斷腸原上離離遲遠客天涯黯黯弔斜陽蘼蕪欲採江難涉松菊能尋徑已荒只有寸心枯未盡征途還逐馬蹄忙

和作　陳夔龍　筱石

癸酉七月味雲仁兄遠寄秋草集並索余詩珠玉在前有媿續貂矣晚坐綠窗忽成四憶竊附風雅免羞雷同即乞正句

洛陽宮殿鎖煙霞一色離離輦路斜淺碧光涵梁苑月微黃影聚汴隄沙人來淇澳惟看竹春滿河陽倘憶花三載行巡秋已老蒹葭囘溯渺天涯

江南落木撼商聲容易新愁舊恨并秋早入宜居茂苑春

歸客已別蕪城誰從腐草憐螢火自向深叢聽蟈鳴猶憶蕉亭開桂醼在蘇州撫署裙腰一道綠盈盈

刬餘鸚鵡尚名洲芳草萋萋碧意稠繞閣四圍猶擁樹平蕪一覽更登樓如茵憶吐纔銷夏義山詩芳草、如茵憶吐時非種難鋤易感秋辛亥八月武漢革命持較漢南前種柳江潭搖落不勝愁

鵲橋北望燒痕新亂後秋光病後身客裏班荆惟感舊夢中生草已非春榆關霜冷凋黃葉易水風蕭起白蘋又送王孫成遠別腸輪日逐屬車塵

和作　　吳鳴麒麐伯

兔葵燕麥戰秋風一片蒼茫在眼中輦路無痕尋舊內酒家漬翠問新豐蟬鳴黃葉萋萋老日落殘花寂寂紅萬里歸來宗楚客豈堪重話上陽宮故宮

九陌當年車騎昏可憐萬樹褪春痕路隅青玦王孫淚城闕蒼煙帝子魂金爵澹黃埋殿址銅駝繡碧上宮門經過禾黍心如醉搖蕩西風未着根 故都

如茵車席坐朝天喬木蒼蒼忽化煙新主奇花驕晚色舊家僵柳臥平泉蒼涼屐齒千門迹冷落裙腰一道妍顛倒奉誠前度夢悲秋莫憶綠芊芊 故第

荒營猶說霍驃姚黏地殘旗古戍遙藉臥葡萄風獵獵遠看蘆荻雨瀟瀟化燐碧血飛平楚落日蒼山過老樵弔古李華空灑淚盧龍今已賣天驕 故壘

和作 張念祖 芍暉

窗前綠滿蘊塵根一霎蕭條逗里門古道斜陽人放牧荒村冷雨客銷魂色吟南浦情非舊夢覺西堂水不溫種愛

鄭家書帶好過時生意了無痕

長天白露欲凝霜色象平蕪綠換黃八月西園迷蛺蝶九秋北地下牛羊疾風知勁經千刦野火燒枯又一場腐卽爲螢光有限車囊隋苑總淒涼

科名何必說傳家蓬梗生涯刦後沙蔓或沾泥同作絮葉防噍溷不爲花依根涼叫三更蟀啄食寒棲數點鴉莫恨四郊寥落甚離離會引踏青車

歲歲長隄歷菀枯卷葹心有楚知無幾多根葉能終保大好田園已半蕪生若當門蘭必翦滋如禍國蔓難圖王孫歸去嗟何日叵耐悲秋眼盡糊

和作　朱士煥燮丞

見說靈華有夙根孤蹤嬾去託朱門西風青憶佳人塚南

國香迷楚客魂禁苑螢飛光已黯池塘水冷夢猶溫荒涼莫辨何時代荆棘銅駝剩刦痕

韶華荏苒忽淸霜轉眴西園百卉黃野外風凋思代馬凋邊雨過舞商羊旌旗唐五行志載草生如旌旗狀黯淡尋荒壘燐火淒迷繞戰場回首八公兵未解斷腸欲寄轉悲涼

空訪崑崙傴子家勞人依舊感摶沙六朝金粉隨流水百刦樓臺伴落花蘆岸涼迎千里雁夕陽暮咽數聲鴉問渠醒醉知何日合守蓬蒿謝壁車

東皇到此淚應枯消息盈虛悟也無萬象經霜徵勁節一城秋雨渺寒蕪浮名偶列登科記繪事誰爲指佞圖坐擲丹蓂成老大颯然雙鬢任模糊

和作　　侯　毅　疑始

野田客土植危根曾逐東風度玉門已分後時難獨立那堪舊夢說重溫黏天一白侵衰病糝徑殘紅共斷魂多謝紛紛墜簪珥踏青人去認遺痕

胡天八月蚤飛霜極目凄迷萬卉黃牧野徒聞資寇騎窺藩詎礙觸羝羊未知南杜宜春苑何似東京蹴鞠場一例芳菲凋欲絕可憐當路尙迎涼

砧杵西風急萬家孤蓬歷亂捲驚沙豈宜更問明年綠不信能開臘月花戲馬臺前悽旅雁佛貍詞下噪神鴉向來春色誰爲主依舊香塵送鈿車

年光轉眼判榮枯游子春暉報得無匝地金飇搖暮蕙中庭玉露濕寒蕪天低絕塞鵬盤路夢斷華林馬射圖女兎相看枝葉盡量潮心事未模糊

和作　陳守謙叔青

逶遲古道見陳根彌望荒煙冷郭門碧色春留才子賦紅心涼殢美人魂霜嚴輦路生何幸月落池塘夢不溫莫訝祁連青塚在而今一白僅遺痕

昨夜中庭已有霜當階轉綠又迴黃汀前風緊遲歸雁隴上天低見牧羊金勒久稀游客騎青袍莫問少年場如何南內今宵月照入疏簾分外涼

昔夢何曾到謝家久經屐齒耐風沙勁枝合傍淩霜菊病葉還遮墮溷花十里寒蕪調戰馬一灣流水點棲鴉平生消受輪蹄鐵最憶香塵鬥鈿車

菴藹到死不心枯墜露輕塵淡欲無豈羨高枝緣薜荔寧忘舊恨惹蘼蕪菱絲宛轉吳孃曲菜色淒涼鄭俠圖悵絕

西風禾黍地煙消雨歇總模糊

和作　　　　　　高　翔　集安

原上離離露石根驚秋蕭瑟到柴門青殘難寫明妃怨綠盡終傷遊子魂沙鷺每沾零雨濕（孫楚詩零雨沾秋草）水螢猶帶夕陽溫（許渾詩萬點水螢秋草中）王孫歸去芳菲歇長信宮中舊有痕

已零白露近新霜（趙孟頫多景樓詩白露已零秋草綠）煙葉風枝漸漸黃荒隴初來棲葦雁寒畦時見蹴蔬羊（陸游詩腸枯那有蹴蔬羊）秋空眼疾放鷹地日暮蹄輕試馬埸記自傷離南浦後吳頭楚尾總淒涼

無限秋容老圃家冷煙斜日照汀沙征人愁折金城柳（用晉書桓溫事）商女歌殘玉樹花叢薄雙飛尋夢蝶平蕪幾點噪寒鴉舊遊空憶長干路小獵曾迎油壁車（陸游詩油壁車迎小獵歸）

湘蘅沅芷未全枯慘綠裙腰淡欲無栗里新霜催早菊茂陵殘照襯秋蕪范成大詩一片秋蕪襯夕陽蒼煙隴陌盤鴉陣黃葉滿山射雉圖不盡西風搖落感相看白髮影迷糊李白詩白髮如秋草

和作　孫保圻希俠

煎餘箕豆本同根容易秋風又到門野色平添無限恨國殤誰念未歸魂玉簫吹後聲何苦銅輦移來夢尚溫一樣婆娑生意盡靑袍依舊滿啼痕

薪勞如此鬢棲霜睥睨江山百卉黃頑石不言疑卧虎異書重讀慮亡羊慣經路鬼揶揄地幸作村氓報賽蕩蟲語淒淸螢火碧眼前景物漸悲涼

種瓜人老故侯家偷活難飛博浪沙豈願延齡求白蓉祇能買醉對黃花高原木落初賓雁古殿苔封欲散鴉記得

春遊歸緩緩瑤妃曾爲駐香車

歲華閲盡悟榮枯贈爾芳馨絶世無萬馬窺邊肥苜蓿九龍行帳莽榛蕪商聲乍起資吟興非種宜鋤愧壯圖望遠更窮千里目黏天衰白影模糊

和作　　孫保圻　希俠

颯颯涼飈透樹梢野蔬充膳競論交偶因秋興懷潘岳欲報春暉愧孟郊澤畔行來思紉蕙江南哀絶悔誅茅靈修浩蕩芳菲歇手把騷經着意抄

閑步蘅皐策短笻菊花天氣又相逢荒堤月暗飛螢火樵徑風腥覓虎蹤滋蔓豈宜如昨日燎原預計在今冬萑苻未靖成蕭瑟待訪蓬萊隔萬重

白髮鬖鬖酒半醒微吟蕺楚過新亭可憐戰後長埋碧曾

記春時共踏青旅雁銜蘆謀食苦啼螿咽露帶愁聽王孫何處探消息獨寫幽風倚畫屏

不停芝蓋不眠琴棘裏銅駝寄慨深南浦綠波尋舊約西山紅葉動商音蘼蕪饒有繁霜感葵藿常存捧日心調鶴呼龍緣底事出關遠志久銷沉

和作　　劉通叔 通叔

辛未瀋陽之變苓泉居士賦秋草四章託物寄興自比澤畔之唫海內詩人和者甚眾頃疑始以和詩見示感慨既深寓思彌遠輒復次韻郤寄疑始

津門並眎苓泉居士

飛霜一昔膾枯根曾記裙腰綠到門蕭瑟獨尋人不見芳菲門罷夢難溫天涯鶗鴂空回首山上蘼蕪易斷魂爲問

王孫還憶否春來應長舊燒痕

本來弱植不禁霜一夜金飈盡隕黃野闊平原愁雁鶩天低絕塞見牛羊蕭條何意留青塚憔悴無心傍鞠場借用霍去病穿域蹋鞠事千里綿綿思遠道銅駝陌上正淒涼

三徑荒寒處士家侵籬傍渚映平沙無多生意滋零露強占韶光媚晚花罨陌殘萋還礙馬遙隄弱縷尙藏鴉誰知舊日青青色曾送流蘇七寶車

離離原上幾榮枯和雨和煙淡欲無吳苑荒涼悲蔓棘楚歌哀怨託蘅蕪漫將樹蕙滋蘭意寫入衰荷折葦圖但使菤葹心不死春風還見錦模糊

和作　侯學愈 曉盦

愁向池塘寄宿根澹煙疏雨黯蓬門西堂舊迹難尋夢南

浦離情欲斷魂雁陣驚寒聞有唳馬蹄踏月慘無溫泬寥一夕商飈動曉起蘼蕪揾淚痕

桂折蘭摧早隕霜剛看轉綠又迴黃故宮寂寂埋銅狄孤塚蕭蕭卧石羊豖盡紅心迷野火染來碧血冷沙場疾風縱且吹枯力勁節猶堪耐晚涼

不入豪華富貴家獨甘搖落困泥沙穠芳荏苒頻遭刼秀色芊綿却勝花憶昨蔥蘢偎粉蝶祗今顦頓集昏鴉萋萋十里長亭路有客曾停問字車

自生自滅自榮枯遠近高低倏有無應運龍蛇蟠大澤盤空雕鶚睇平蕪庭荒瓜蔓餘書帶江老蒹葭儼畫圖觸我黍離亡國恨西臺一慟眼模糊

和作　曹家達 拙巢

縱有萌芽寄宿根可堪涼信入秋門宫牆蕪穢疑無路輦
道荒寒易斷魂淸露有時凝晚翠斜陽何處戀徵溫王孫
自恨江南遠延佇寥天一抹痕
幸未摧燒釜底霜陡看顏色半靑黃北庭老將思盤馬西
海羈臣尚牧羊時有凍煙栖廢院又驚獵火出圍場金鼇
玉蝀無人迹一片殘蛩絮曉涼
回首長安不見家茫茫瀚海走胡沙芳心未化塘邊土舊
意難追陌上花露井門荒馳狡兔藉田耕廢有饑鴉春明
別後無佳氣滿眼蓬蒿鬼一車
乍經霜霰未全枯慘綠凄迷近轉無塞北香銷靑塚沒淮
南木落赤城蕪分明都下經行處併作湘纍去國圖漫擬
望風酬好詠池塘殘夢已模糊

和作　　錢　夔　夔若

敢期錯節與盤根飄泊重來白下門卅六繁華雲過眼萬千塵夢蝶迷魂蕭齋闃寂窗雞緣芹沼蒼涼水詎溫卻怪秋風容易起平原處處著煙痕

甫經雨露倏風霜又見青青色轉黃塞外憑誰調戰馬海邊空自牧羝羊思歸社燕忙穿徑入暮山樵懶上場太息秋深日零亂不堪南浦聽伊涼

王孫遊罷早歸家千里萍蹤半没沙藍縱多情輸種玉鞠因傲骨晚開花池塘夢杳悲啼鴂巷陌風淒亂點鴉尋得鄭玄書帶處葭蒼露白為停車

可憐一歲一榮枯果有瓊田種得無勃勃野心滋伏莽蒼蒼餓色遍哀蕪寒螿冷咽羣芳譜瘦鶴閒參三友圖荊棘

蒙茸天地窅美人何處總模糊

和作　　曹亮臣 綸香

瀼瀼雨露卻培根昔日蕃孳望雁門帝女花殘同幻影王孫路遠總銷魂丹楓也覺容顏老青塚難回氣候溫可惜平原嘶馬地不堪鴻爪亂留痕

西宮南內忽驚霜先有宵聲葉落黃可許荒園招粉蝶幾同野火肇紅羊風吹空憶春三月塵封誰憐夢一場知是芳心猶未了陽和再布免悽涼

本來蓂莢出天家盡化流螢遍白沙幾度光陰悽塞月一番風景冷煙花已無獵騎圍秋兎空有寒螿雜暮鴉尚記姑蘇臺畔路濃茵緑蓐使君車

吳宮幽徑色全枯何必遙看辨有無千古柴車增感慨一

盂麥飯爨蘼蕪早知到此薪成束應悔從前蔓未圖爲問榮衰誰作主荒郊處處望模糊

和作　　章作霖 孫宜

絡緯聲喧金井根啼花不復傍千門綠苔泣雨新秋怨蔓草和煙故國魂鐵騎忽來悲未已銅駝酣卧夢仍溫劇憐塞黑楓青路血染萇弘有舊痕

靈蘐一夕隕嚴霜淚漬經年袖染黃逝水流光驚雁燕斜陽山影下牛羊椎心思定蓼莪痛刺手來從荆棘場一自清暉嗟莫近謝家池館晚生涼

王孫海角未還家歸雁江湖落渚沙一片寒砧伴夜月數聲風笛起蘆花短莎平野驚弓兔落葉霜天繞樹鴉便欲羽書傳檄定關山草色擁征車

從來萬物自榮枯原上青青半有無湖海波瀾翻白荻陂
塘水漫沒青蕪憂時誰繼張方策拯溺空披鄭俠圖指點
蒿萊生廢壘災氛兵氣兩模糊

和作　　曾念聖次公

涼月霜朧墮曉愁西風短髮對颼飀乍疑被徑同蕭寄久
訝緣門失故侯入眼飑狐空窟穴乘時螻蟈亦咿嚘服香
臣本南冠者楚澤相逢恨未休
記從鶗鴂變年芳晼晚空繚薜荔牆心上昏黃疑有月眼
中萋菲欲無香廊腰小印縈荒屧籬角冉幽情泣晚螿已斷
春韶仍目極黏天有句墜蒼茫
西日吹黃輦路暹托根有地轉淒其紅心久礣寧天意涼
夢初回另客悲委地香姜隨掩覆翻階玉版損葳蕤愁人

日日陰山下瘦盡瓊枝恐未知
向來本穴茁紅霜九畹騷魂易斷腸襯入裙腰妨化碧歸
來簾額想迴黃相遭蕭艾寧同悴欲掩蓬蒿祇自傷別有
靈均哀怨意敢持綺語報冬郎

和作　　孫星衡　政平

團露淩煙尚托根西風瑟瑟玉關門碧蕪已化蟲沙迹青
塚難歸雁塞魂林樹凋傷悲杜甫江潭搖落感桓溫低回
南內宮娥老廊砌猶留響屧痕
榆關八月正嚴霜鐵騎縱橫戰血黃城社憑陵穴狐鼠邊
荒叢莽臥牛羊那期露夜盤營地仍是春風蹴鞠場報道
故宮胡馬滿王孫一曲倘伊涼
夢醒池塘憶謝家綠荷無復踏晴沙踈枝寥落章臺柳弱

植伶俜韋曲花斜日長堤空引馬荒煙古道亂鳴鴉徬徨
廟社生禾黍輦路誰還走鈿車
離離原上歲榮枯黛色經霜澹欲無紅葉一山同冷落黃
花三徑總荒蕪餘生應托流螢化春夢難尋撲蝶圖露白
葭蒼人去盡萋萋舊迹已模糊

和作　　余華龕

紅心瘦損賸愁根坐閱榮枯靜掩門書帶日長難繫影蘼
蕪煙重總銷魂踏青人去腸堪斷鬪碧時過夢尚温卻憶
王孫年少事斜陽一抹誤春痕
絕塞俄驚一夜霜馬頭塵起陣雲黃吳娃夢冷堂前燕漢
使魂銷隴上羊野燒有痕還礙路夕陽無限正逢場蓬飛
萬里渾難定空對平蕪怨早涼

休把蕪城作帝家天涯咫尺莽黃沙興亡莫辨長堤柳飄墮仍隨上苑花朔漠雲深盤健鶻吳宮煙鎖有寒鴉青袍色褪猶相妬輦路淒涼滯寶車

香輪碾罷未應枯生意池塘定有無合伴疏花憐晚翠遽緣零露感寒蕪銷沉越國青蛙氣顛倒蓬門紫鳳圖欲向靈修訴遲暮江南煙雨正模糊

和作　張其淦豫泉

讀書秋樹老雲根幾日西風早閉門蕭瑟榆關添別恨變衰劍閣愴吟魂（杜詩草木變衰行劍外）粘天寄怨搓酥麗刻地埋憂奠酒溫最怕斜陽寫圖畫不知是淚是燒痕

薇蕨西山飽露霜東籬又襯菊花黃窗前落日愁歸燕塞外寒風苦牧羊髮白似人遲暮感（李白詩白髮如秋草）袍青憶我少

年場（庾信賦青袍如草）王孫更覺天涯遠旅雁行行怯晚涼
南浦銷魂記別家年年雁磧與龍沙紅心磨鍊成貞木碧
血沈淪變土花枯樹鹿場朝縱馬垂楊螢苑暮啼鴉菤葹
不死欣長在盼望鵷鸞擁帝車
香山吟到歲榮枯記得瀛洲風景無轉綠回黃隨境異愁
紅悽碧賦城蕪盡栽往日龍駒種重寫前春蛺蝶圖書帶
多情賴裝點京華又見紙窗糊

和作　　　丁　滌齋

年來蓬轉若無根又逐西風到白門葦路荒陵增客感池
塘舊夢斷芳魂江楓月冷寒螿泣籬菊霜嚴綠螘溫更有
秦淮堤上柳蕭疏猶剩昔時痕
蒹葭兩岸板橋霜卸到江南葉漸黃冷露閒階吟蟋蟀夕

陽曠野下牛羊感懷禾黍前朝苑滿眼蓬蒿古戰塲林莽
蕭條腓百卉寸心安得不淒涼
風雨歸船客憶家離亭燈火淚淘沙美人幽恨埋香冢白
傳吟情寄荻花地接衡陽驚斷雁天連塞外戰寒鴉無端
荆棘銅駝淚流水空迴夢裏車
秋原雖萎未根枯色異遙看近卻無偶過四郊悲慘淡欲
歸三徑歎荒蕪擬招叢桂棲巖侶共寫芳蘭紉佩圖不日
上林繁蔣苧看花帶眼莫模糊

和作　黃漢棟

又向西風認夙根不堪惆悵閉柴門美人薄命傷遲暮詞
客工愁易斷魂幸託夕陽留短夢又堪暮雨息殘溫憑君
莫向天涯望處處江干有淚痕

西風一夜度微霜回首青青半萎黃金屋已無巢翡翠幕
庭空見走牛羊縱橫零亂思千里離合悲歡夢一場寄語
王孫休懊惱從來世事總炎涼

記得春城十萬家春煙漠漠映風沙銀鞍踏盡河邊路珠
箔迴看陌上花一瞥斷蓬鳴促織幾灣流水冷棲鴉荒愁
滿眼憑誰寄獨向長街憶鈿車

寸心雖斷未全枯太上忘情自古無已信歡場同蛺蝶尚
留殘淚泣蘼蕪傷心王子思歸日又見明妃出塞圖何日
東風醒綠野吹來舊夢兩模糊

癸未仲秋

雲邁書札

錫之

雲薖書札

無錫楊壽枏著

覆許靜山文書

送別雲旌屢更月琯伏計頤情墳典抗志林樊淮南拔宅雞犬飛騰元獻游山狙猿拱揖清標逸韻萬仞難攀娙立志不堅俗緣未盡近爲友人牽引出山遂汚元規之塵復索長安之米呼牛呼馬從俗浮沉爲龍爲蛇因時消息相期何等蹉跌至斯何敢復冀大君子之收錄乃蒙賜書存問恩誼綢繆賢者用心抑何婉摯嗟嗟世當將亂未亂敢遽存蹈海之心人以不狂爲狂猶妄作憂天之想默察今日人心如水潰堤如火燎原不恤毀壞制防以求肆其無等之欲識者知殺機之將起劫運之方興

不繫乎一姓之興亡而繫乎四海之治亂縱觀千古治日少而亂日多天心隨人事而轉移上者爲豐沛晉陽眞人起而削平宇內次者爲六朝之分裂下則如五季之紛擾亂愈久則生民之困愈深今後世局如何變化海宇能否澄清此則視乎造物之仁慈蒼生之福命矣自古以匹夫崛起不階尺柄而成大業者如漢明二祖千古曾有幾人其餘皆不能無所憑藉而起國家之亂奸雄所藉以爲資也董卓亂漢而曹操起桓玄亂晉而劉裕起爾朱亂魏而高歡起始假忠義之名終成篡竊之事然皆值朝廷喪亂國祚已傾經櫛風沐雨之勞成同日補天之業迨得志之後猶且徘徊慎重遲之又久而後人心漸服天命攸

歸蓋取人家國如此其難未有七鬯未驚鼎社已改如今日之
易者也然此端一開事變未已世但見三百年之清室覆之甚
易人人有覬覦窺伺之心我假此以覆人安知人不假此以覆
我佛家之說最重因果今日所種之因卽他日所收之果也論
今日當局之才略實能宰制海內果力反前此所爲廓然以天
下爲公登用賢才廣布德意整飭綱紀收攬人心行之十年二
十年基業或可保固若仍以巧佞取人以權詐馭物以祿利奔
走人才恐風俗人心江河日下而身亦從之矣姪旣無薇蕨之
操徒貽松桂之羞猶欲張口攘臂妄論天下事徒爲識者所齒
冷然耿耿此心猶冀得所藉手如申胥之復楚羅隱之思唐不

負大賢之期待也

謝陳弢庵太傅啓

違侍道範涼燠亟更塵俗紛紜箋緇希曠伏想優游圖史管領風騷紅亭高會杖履從容綠野退居璽書存問翹詹壇坫無任依馳栩才非經世學不買時六十之年忽焉已至遭世多故志業無成閉門却軌不足言慶猥蒙寵飾賜以鴻文樂旨淵詞並時無兩含景蒼龍之佩以贈庸夫天吳紫鳳之衣以被嫫毋揄揚過當塵忝亘艮多中間一節尤能將栩之心事曲曲傳出自維素履不貞進退失據進不屑與錢牧齋陳素庵爲儔退又不獲與徐昭法申凫盟爲伍辛亥以後從俗浮沉往往舉扇障塵移

牀違客時既不偶恨無能爲假令十年之中稍自貶損何渠不若蕙市牙郎惟丈人知我真也自返故鄉忽焉改歲碧山招我小住枌榆白髮笑人又辭松桂訪賀華之高閣幸留佳話於湖山別修竹之舊廬敢寄閒情於泉石感流光之似水荷高誼之如雲竢返津門再容謁謝先馳尺素率布所懷伏乞垂鑒

上陳弢庵太傅書

日前趨謁軒墀飫聞渠訓並賜示律賦一册浣薇讀之覺氣韻風格尚在樊山丈所刻四家館課之上公望公才萬流仰鏡揚扢風雅特爲緒餘然冰蠶寸絲無非異采靈虬片甲亦是奇珍且當海寓清宴之時禁近雍容之列人物則鸞停鵠峙文章則

玉節金和每一念之令人神往自唐以律賦試士迄今已歷千年學士才人抽妍騁祕爲之工者大都色侔茖翠韻協笙簧雖有撥天畫日之才搖岳凌滄之筆不能不研求聲律俯就準繩自古名賢若宋廣平王沂公等皆於一篇一韻之內覘生平之抱負卜他日之勳名知言之選亦是物也今讀尊著如停雲賦陶淵明讀山海經賦則見襟抱之曠夷富鄭公書坐屏賦則見德量之淵粹孔子忍渴於盜泉賦惟道集虛賦則見名理之湛深郭子儀七夕拜織女賦則見識鑒之高卓公之聰明壽耇黃髮典型晚節粹然身名俱泰卽此可徵矣後生末學安敢妄加評斷特佩服之誠不能自已於卷後謹跋數語奉還樊山丈來

書云日前傾跌傷足精神尚佳盼栟一面栟因病後氣虛須調

理旬日大約舊歷新年當至舊京一行也日前丁蘧卿世兄來

見知闇公已埋骨青山爲之黯然挽詩二章錄呈鑒定

覆錢子瑞書

平陽逆旅中薢茩握手別後不勝惓惓比奉惠教知台從已抵

運城安硯書院此顧亭林胡稚威舊游之地也伏想發藻經帷

𦾔英講席尋前賢之芳軌扇往哲之清芬嘯詠從容定資道勝

絳解都會代生魁儒龍門著書史才最精河汾講學經術斯茂

清風雅藻闃寂千年實賴高賢宏此文教季長著錄獨盛於扶

風公彥義疏別行於河北以今方昔何多讓哉弟自到井門卽

入幕府簿領多暇時預讌游蕉窗讀畫几翠無塵竹院聽棋簾

紋如水有閒適之趣無羈旅之感惜不能與素心人共此晨夕

耳朔風方勁黃河已冰遙計興居諸惟珍衛

與王芙伯書

明崇禎甲申吾鄉馬文肅殉節北京家族以爲榮鄉人以紅東

致賀其時佚老遺民抗節行遯者世爭重之蓋明季世運雖替

民彝未喪賣菜之傭恥事二姓曳柴之女羞嫁二夫人人有道

學之氣節義之風而知忠孝貞廉之可貴也近代詖說流行禮

防盡墮名節不足重則惟利之是趨覆雨翻雲變態百出黨見

既異父子相攻權利所關師友可賣故淸室之亡衣冠禮教掃

地以盡甚至有登高第居穹官者亦幡然改節自附於革命新
人物卽有高節如夷齊采薇蕨以餓死西山者人孰憐而敬之
夫倡民族之說反抗本朝恫專制之威推翻君主流離九死百
折不回此其人亦自抱有一種政見若僕者旣已登科食祿委
質於其廷矣縱不能爲司空表聖謝枋得一流寧忍改變面目
自詡爲識時之傑反唇而詆故主倒戈而攻舊朝乎有用我者
不必爲介石之貞無用我者決不爲祥金之躍僕之所處如是
而已嗟嗟東華道中名利如舊博士爭嘲狗曲參軍但判馬曹
僕之處此正類王景略褌中之蝨武儒衡扇底之蠅耳有識者
視之真不值一錢也

上黎總統書

謹肅者本月某日議員某提案彈劾壽枏復辟時曾任度支部侍郎不應再作民國官吏義正詞嚴無任愧悚竊維民國以來新舊人才雜進此起彼仆視若尋常即復辟授職者不止一人今該議員於壽枏獨加抨擊此中殆別有用心第念壽枏浮沈宦海三十餘年前朝已登科第仕官至卿僚復辟又授以要職既污元規之塵詎能避免此名自附於識時之俊傑清夜自思深悔多此一出惟有讓賢以靖浮議謹具辭呈請予批准開缺另簡賢能接替不勝感幸

與李伯芝書

台從來律述某公之意殷殷可感日前潔卿過訪亦以健公之
命勸弟回部再三審度實有爲難弟此次出山原非素志財長
內定而留滯南中文泉敦勸再三始允就鹽署自愧愚戇所謀
不用故正月間卽請假三月間力勸文泉同退辭呈上後文泉
批准弟獨慰留不得已借嫁女事請假出都以避形迹今若再
筦計政對於文泉方面似有嫌疑此爲難者一也今日財政非
迎合稅司勾通銀行籠絡議員交結報館不能一日安弟腦筋
太舊性情太懶違則失人殉則失己屏風屈曲阪丸圓轉非我
所能此爲難者二也弟五十歲後心血虧損每過子刻就枕便
難安眠今寅僚議事漏盡而不休賓客滿堂燭跋而不去孱弱

之軀實難支持此爲難者三也弟對於濫發債票鈔票夙持反
對主義今國庫收入悉爲公債局吸收以去上而一公債之政
府下而一鈔票之市場旣養成人民投機之性又造成國家破
產之因迂執之性與近代潮流不合動成枘鑿此爲難者四也
弟與某君本無德怨徒以名位相軋賄嗾抨彈弟亦深悔此出
故甘心避賢腐鼠何味猜意未休今又繼某君之任忌嫉益深
世事宦情思之爛熟此爲難者五也如叔魯未能到任則岱杉
才識勝弟十倍若勸此公出山必能勝任愉快乞轉致某公曲
賜鑒諒是幸

覆議員某君書

承示前財長某某諸君取精用宏河潤九里勸僕稍貶清節以
饜輿情何閣下愛我之深而知我之淺也僕自束髮受書父師
教誨即以忠孝貞廉爲本故服官二十餘年但能絜己奉公整
躬率屬媿無高掌遠蹠之才民國以來三莅財部始則國體雖
更人心未變繼則苞苴暮夜行動尙類穿窬今則賄賂公開交
易儼同闤闠僕自知迂拙之性不合時宜故過元夕後即具呈
請假假滿即擬辭職而府院堅留姑作委蛇決不願久妨賢路
也僕初意欲就鹽餘關餘及其他稅入每月籌定三百萬元另
編簡明預算表使中央經常費有着不復仰給於公債稅務司
不得壟斷財權而財閥諸人極力阻撓欲保持其公債政策政

府亦汲汲爲飲鴆止渴之謀竊恐數年以後上之一公債之政府下之一公債之市場設遇時局變亂票價驟跌全國將有破產之憂吾謀不用他日請驗至今日報館之毀譽適與人品之貪廉成反比例貪者囊帛櫝金出其餘以收買報館卽爲揄揚鼓吹廉者脂膏不潤力難收買受報章之抨擊亦固其宜（近贈某報千元卽極口揄揚）報界中某某諸人以恫喝爲生涯以攻訐爲長技將來恐有文字之禍僕不願見其人尚肯與之交結乎僕離部不過五年而財政掃地以盡爲軍閥之虎倀者財政界中人也爲財閥之鴆媒者金融界中人也有前此之取精用宏乃有今此之膏枯髓竭廉能者爲拙貪贖者爲才已養成一種風氣造成

一種輿論僕今日之行事爲是爲非幾難自辨何論他人乎狂愚之言幸裁察焉報界中某某指邵飄萍林白水等後均遭槍斃

與丁闇公書

冋南後人事鹿鹿久未通問尊著明事雜咏已將印成誤字遵照來示改定茲先將拙著雲薖漫錄寄呈鑒正尚有誤字一二處須改正重印也前在上海晤徐積餘兄觀韻香道人空山聽雨圖凡四冊奚鐵生所繪原圖已失去補圖四一爲許玉年乃穀一爲呂培一爲沈旭庭梧一爲葉蘭台衍蘭題詠者如劉石庵英煦齋梁山舟孫淵如洪北江趙味辛楊蓉裳張船山陳雲伯孫平叔顧晴芬共九十餘人皆乾嘉間名士葉蘭台於卷端摹

有韻香小像道裝執拂瀟灑出塵小序一首敘韻香身世甚詳
韻香自題一律書仿黃庭極娟秀當日爲名流推重洵不虛也
敝宅之西數十武有尼庵水木明瑟境極幽僻舊爲韻香薰修
之地庵左隙地數弓前倚柳塘後瞰蓮沼擬築精舍三楹題曰
福慧雙修庵假文藻以掞張之執事於韻香事蹟搜訪有年異
時能從我遊乎當設伊蒲飯相餉拂蕉葉箋試松枝筆爲我作
福慧雙修庵記留一段香火緣也弟回里後忽忽兩月蠟屐尋
山畫船載酒意興殊佳惟贛鄂間戰警頻聞京津間俗務未了
恐不能久住故鄉安享林泉之樂耳李吟白詩當爲印入叢書
詩格在漁洋初白之間但與時下風氣不合恐身後仍難逢真

賞閣下憤某君之譏彈僕以爲未足異也昔張率作詩爲虞詡

所詆率乃焚毁更作托名沈約詡便句句嗟歎以耳爲目庸俗

類然自古青雲之士大都藉援繫以成名而宿學高才湮没於

菰蘆之下者多矣僕嘗有句曰柳絮得名緣道韞梅花無福遇

靈均卽此意也

與丁闇公書

昨覆一緘計登籤室前作顧君涵若序文本爲哀逝而作故全

首用本人自述入鄙人口氣後專從哀逝着筆輕輕作結古文

家常用此法而駢文尚無此例來示謂須就本書體裁評論一

段如此則下半章法須變換矣容改定後再行寫寄近讀唐人

文集因悟古文駢體同出一源古人作文未有不講求字學韻學者故能詞句瑰麗音調鏗鏘枚馬班揚無論矣卽江鮑徐庾之駢文其斷續離合頓挫處仍是古文筆法而韓柳古文字句仍極烹煉柳文尤多六朝句法下而杜樊川孫可之輩類皆古雅豪逸自成一家宋文始漸趨平易古文駢體遂截然分爲二派字學韻學亦少講求故唐宋之間實文章升降一大關鍵也然古文當以義理爲主如晦庵之文理精詞達醇茂淵深氣脈直接董江都劉中壘不必求工於字句之間自非唐宋後諸公所及若駢文則當以神味氣韻風格詞藻爲主骨欲其奇氣欲其咽柔欲其沉意欲其邃然後澤之以古藻緯之以華思斯爲

極駢文之能事世之作者藻豐於骨意謇於詞雖復摹繪日月
雕刻山川極沉博絕麗之才然所爲者皆文章之面而非文章
之心也文心之至者騰九霄潛九淵熙然而春懍然而秋古抱
今情沉沉馨逸不必屈子之騷龍門之文少陵之詩也即下至
唐宋人之詞元明人之曲其工者能使人回腸蕩氣一往而深
何嘗非天下之至文乎執此以論駢文自六朝以來其合乎此
旨者蓋亦尠矣昭代駢文僕所取者稚威隨園荀慈容甫北江
甘亭六家而閣下駢文則隨園一派也然隨園生際承平早登
科第退有山林之樂出多冠蓋之交故其集中題目皆冠冕堂
皇足供其發揮才氣驅使書卷閣下所處之世與隨園不同所

作之題亦與隨園不同纖詞魚網之上鏤心鳥跡之中難處在此而見長處亦在此自古才人志士身際滄桑能以纏綿悱惻之思發感慨蒼涼之意極其至足以哀感頑艷上薄風騷乃環顧當代詩家猶是明季公安竟陵之遺響竟無遺山梅村之作手出乎其間獨閣下駢文往往造此境界如陳樊二老壽序鏤月裁雲之手凌滄搖嶽之才近人不能作此文即前人亦罕見此格題與文合成此巨製人但驚其瓌詞麗藻猶皮相也由此進而益上不難軼玉溪而抗蘭成矣隨園諸家何足道哉意有所觸聊發狂言幸閣下恕其妄也

覆孫師鄭書

捧讀手教並賜譔序言勖勉之厚獎飾之殷十讀三復曷任感佩吾輩丁陽九之運生平抱負欝不得施散帶衡門著書終老弟之碌碌安敢齒於作者之林閣下研精典籍博究天人孟晉迨羣卓爲儒軌誠今世之王深寧馬貴與也歷觀前史凡際世運泯棼之日正學盲晦之秋必有魁儒碩彥出於其間障狂瀾而綿墜緒東漢之季則康成箋疏六經闡揚聖教爲百代儒宗隋唐之間文中子教授河汾門下多才粥成貞觀太平之治傳經之澤歆以俎豆衞道之功烈於旂常有志者所以奮乎百世之下也今日世道人心流極敗壞邪說破道詖辭害政以視前世抑又甚焉讀尊著各書莊論昌言毅然以扶世翼教爲己任

斯文未喪吾道不孤名山大業成就豈在古人下乎弟半世功名已成畫餅近歲閉戶養痾整比舊業始有志於著述而學殖荒落精魄銷亡悠悠忽忽以苟歲年恐終無所就耳

覆孫師鄭書

比奉大敎並近作鐵鳳三章結思幽轖托體高奇誦之彌增慷歎亭林有言詩文不可苟作僕每服膺斯語今之世何世也正月繁霜之會北風雨雪之時貞義微詞誼兼比興當導源於國風小雅參之以離騷廿五古詩十九下筆之時必先有一種激越沈雄之氣芬芳悱惻之思千古以來惟嗣宗之咏懷太冲之咏史景純之游仙子昂之感遇太白之古詩庶幾具此胸襟造

此意境次則玉溪無題積感身世冬郎香奩憂深君國比物蓀荃連類龍鸞亦此志也若夫吟弄風月模範山水如康樂宣城諸人已落第二乘矣僕每思取古人之詩似此類者選爲一編用以續騷雅之遺音昭風詩之正軌自媿淺陋未敢操觚竊本此意以望近代之作者而閣下亦意中之一人也因讀尊作推論及之秋草詩印成寄上三十册故都知好請酌送爲荷

覆孫師鄭書

前奉惠教並拜誦鄭齋感逝詩結想蕭寥吐詞馨逸眷言倫好惻愴平生燈窗夜讀爲之雪涕嗚呼江山文藻異代蕭條冠蓋京華斯人憔悴旣念逝者益不勝身世之感也僕於卷中諸人

半皆師友白雲在天龍門之望無極風雨如晦鷄鳴之思不已歌離弔逝懷抱略同敬呈七律一章伏希教正秋風多厲愼護眠餐

與孫師鄭書

昔人論李于鱗詩字句多重十篇以外不耐多讀僕謂豈惟于鱗試讀唐宋名家詩集一典屢用一語數見者往往有之不足爲于鱗病也于鱗之病在詞勝於意耳世之論詩者寧新勿熟寧奇毋庸語多現成意涉凡近者均所不取此詩文之要訣也然刻意求新求奇幽渺其詞藻繪其字觸於目者皆牛鬼蛇神接於耳者皆獠言猩語詎非詩家之魔障乎又有矯膚庸之弊

而力趨幽深孤峭一路衍西江之别派沿竟陵之頹波譬諸飫
春韭秋菘者不復知熊白豹胎之味居茅舍竹籬者不復見瑤
臺瓊室之觀雖具精能終嫌寒儉必也讀書富積理閎意境自
然精深吐屬自然雋雅菊非一種而各擅幽香松不一狀而皆
含古翠不求新而自新不求奇而自奇千古以來惟龍門之文
浣花之詩到此境地談何容易才不高學不博但於詞句力求
新奇凡好古典好字面苟爲人所常用者卽須避去甚者雖字
決不可對易字多字決不可對少字斤斤於字句之間何異村
學究之識見乎彼夕陽芳草黃葉白雲此劉文房常用之字也
翡翠芙蓉熏爐蠟炬此李玉溪常用之字也習熟之典尋常之

字善用之則明珠仙露不善用之則土飯塵羹西子王嬙天生麗質使被以霞綃霧縠飾以翠羽明璫豈不更增美豔若夫青唇吹火之婦赤腳行沽之婢使之濃裝豔抹齲齒折腰適增其醜耳

與趙生甫書

賜譔序言雒誦感愧檮昧不能贊一詞姑取文中淸微峭勁如長松古雪脩然在峨眉天半三語移評此文閣下倘許爲知言乎僕早年累於舉業中年累於公牘又好爲駢儷側豔之文而於古文未嘗致力亦不識宗派家數竊謂文無古今但求其是而已上者宣德而明道次者指事而類情理明者辭達氣盛者

言宜情深者文至如姚姬傳所云神理格律氣味聲色俱備斯爲上乘若夫拘守繩墨摹擬腔調以一挑半剔爲法鉤連映帶爲能較諸時文庸有愈乎近世言古文者首推桐城桐城派之文原本經史義法謹嚴凡詞章公牘時文字句均不得闌入然觀姚氏古文辭類纂所選漢人奏議卽當時之公牘文字也此意曾湘鄉已言之詞賦一門兼采六朝而退之南海廟碑進學解送窮文等篇子厚永州諸記上凌班揚下掩徐庾實千古詞章之高手蓋六朝初唐華靡已極退之起而振八代之衰其筆力雄偉字句瑰奇上追周秦兩漢於子雲相如仍力致推崇所謂古文者古在氣骨不在格調至宋人乃漸趨平易字學韻學亦尠講求

於是古文駢體遂畫疆而設藩矣閣下於近代古文力推曾湘鄉與鄙意同湘鄉早年所作精勁雄奇然未脫古人窠臼厥後讀書愈多積理愈富閱世愈深取精用宏文章隨學問事功而俱進故所傳傑作多出晚年僕生平持論南宋以來古文得兩大家以道德爲文者朱晦庵也以勳業爲文者曾滌笙也此二人者不假文章以傳卽以文論亦非餘子所能逮此鄙生之臆見質諸閣下以爲何如天寒惟興居珍衞不宣

答李子申書

暗香疏影二調自以入聲韻爲宜拙作暗香押去聲乃用趙元夫體疏影用韻太雜乃沿學宋齋之誤戈寶士所譏爲踳駁者

也應天長慢用韻亦有未叶處已遵改矣竊謂詞韻以入聲爲最寬然亦有界限不能取便濫通戈氏詞林正韻分入聲爲五部自謂精當試就宋人名作證之如東坡大江東去以壁字與物月互叶壁在十七部物月在十八部似乎雜出然前人於此二部本可互通不爲落韻北字應在職韻而白石疏影詞與玉宿等字同叶毛稚黃以爲誤戈氏則因之補入沃韻所謂逋沃切者乃吳越方音須知此調是白石自度腔字字須以南音入曲毛氏戈氏似均未理會宋人選韻但取其諧聲合拍可入管絃嚼徵含宮自然中節故有異部而可通叶同部而轉不能並叶者神而明之是在學者明代詞學失傳近世編詞韻者非真

能擫笛倫聲倚簫製譜不過以宋詞爲根據分併增删雖有拾遺訂墜之功亦不免膠柱刻舟之病特戈氏之書較爲精核足稱善本近代詞家以此書爲半塘所校刻遂翕然奉爲玉律金科前人之書一概抹煞半塘日實士著書動謂宋人失韻余謂執韻以繩今之不知宮調者則可若以繩宋人似尚隔一塵觀此則半塘之微旨可見矣僕於詞學甚疏偶有所作如清猿獨嘯暗蟀孤吟祇取自娛不斬協律但旣曰塡詞自應合拍舍萬氏詞律戈氏詞韻外更無據依規矩所以成方圓而意匠經營尤在規矩方圓之外我輩吟風弄月借以消遣閒情何敢比於井氷歌詞旗亭畫壁卽使字字按四聲照塡不差累黍果能付

之紅牙檀板平周秦姜史張吳諸家審律旣精而風格神韻詞
采無美不備所以可傳若但斤斤於聲律而外此均不暇講求
恐如土狗瓦雞索然無生氣矣戈氏翠薇花館詞項蓮生譚復
堂況蕙風皆有微詞正坐此累然戈氏之詞不足傳戈氏之書
不可廢也

與宗子威書

僕早歲學詩合青邱臥子梅村漁洋錄爲一編題曰四家詩鈔
時取諷誦繼復愛馮定遠所評之才調集杜雲川所選之叩彈
集始壹意宗尚唐音而有會於格律情韻神味之妙中歲喜讀
杜詩邊塞風雲之氣江關雨雪之思所值境地亦與杜陵爲近

晚歲才華凋落五嶽漸平乃以玉局劍南爲宗不耐作劌肝鏤
肺語今所存者大半晚年所作也大抵人之才性各有所近而
學問終以先入爲主僕詩凡四變而於高陳吳王四家才調叩
彈二集用力較多至今未能脫其窠臼夫作詩者所以寄吾之
性情也依傍門戶者決非真才揣摩風氣者決無實學唐人自
李杜外若王孟若韋柳若韓孟若元白若溫李皆各具一副面
目一種性情卽宛陵之才未必過於楊劉而能厭撏撦西崑之
失自闢町畦竟陵之學豈能勝於王李而能矯摹擬開寶之非
別成宗派是亦能轉移風氣者也然使拾宛陵之餘唾沿竟陵
之頹波又不及撏撦西崑摹擬開寶矣曩在光緒末年梨園爭

尙秦腔哀音促節如金鐵齊鳴識者知世變之將作其時士大夫所爲詩亦多噍殺之音槎枒之態至今未變聲音之道與政通不其然乎詩之佳者如絕世美人却扇一顧風韻天然若厭西施之美矉而故爲折腰齲齒之態令人却走矣僕性之所好時執一卷興之所至偶吟一篇雖未嘗揣摩風氣終不免依傍門戶昔爲唐之僕隸今又爲宋之輿臺譽之者謂多雅音譏之者謂多俗調蓼虫桂蠹甘苦自知微閣下亦不欲發其狂言也

與族叔祖章甫先生書

比奉賜教並尊輯尙書讀本已交家塾令兒輩雒誦矣尊論古文尙書之眞僞以爲義理精奧者雖僞而亦可存洵爲通人之

論僞書之說自宋以來儒林聚訟至閻若璩氏出始成定論當乾嘉時學者推重閻氏學說至欲重寫二十八篇列於學官而廢讀古文惟莊存與氏著尙書既見稍持異論遂叢彈射某獨私韙莊氏之論妄意赤眉黃巾之亂六籍煨燼二十八篇以儒者誦習而獲存孔氏所傳壁中書儒者以無師說廢不講遭亂益殘闕後人補綴成篇真僞錯亂然前聖之微言大指三代之故書雅訓藉以存者猶什之二三師儒講說學僮諷誦已歷二千餘年一旦屏斥使不得列於學官毋乃過歟陸德明釋文稱尙書近惟崇尙古文馬鄭王注遂廢李延壽云江左所尙易則王輔嗣尙書則孔安國然則古文尙書固嘗盛行於六朝隋唐

宋儒雖有疑辭並無定論至閻氏古文尚書疏證出援据賅博辨駁精詳足以傾動一世然因疑大禹謨之僞遂謂危微精一十六字皆從勦襲而來開後人蔑古畔經之漸此則智者之過也近讀焦氏尚書補疏論列孔傳有足與尊指相發明者如明堂位以周公爲天子漢儒以說大誥遂啟新莽之禍夫成王踐阼已非幼年（前人多辨正之）周公安得有負扆之事孔傳獨卓然稱周公不自稱王而稱成王之命足闢漢儒之謬學者將斥孔傳而信戴記乎（余每疑武王九十三而終而成王尚在襁褓年齡相差太遠）至梅賾古文尚書出於東晉其時當塗典午篡竊相仍爲之助者如束晳之造竹書創爲種種不經之說緣飾古事以文操懿之奸作書者不敢觸

當時之忌顯斥其非乃採掇殘簡不憚僭擬之嫌借經以折史

二十五篇中往往與竹書相牴牾桐宮之訓（讀太甲伊訓可正太甲殺伊尹之謬）

金縢之誥（讀金縢篇可見成王踐阼已非幼年）所以志明良之遇雪賢聖之誣其

有功於名教甚大烏得概以爲僞書而廢之乎竊謂有清一代

經學偏重考據訓詁誠不免支離破碎之譏至若此等識議獨

出手眼破千秋之疑案杜萬世之亂源斯誠經生之鴻業也愚

瞽之見幸教正焉（此書皆采前人之說非臆造也）

覆族叔祖章甫先生書

捧讀賜書敬承一切明德爲本新民爲末我輩入塾念大學時

卽明此理聖門四科以德行爲首而又列政事一門此正聖人

因材施教非謂言政事者卽可不講德行也愚見本與尊旨相
合但著書必有宗旨竊以才學識三者不可偏廢有學而無才
易流於執拗有學而無識易涉於拘迂以史證經欲使青年多
知古今興衰成敗之原以鍊其才識每見近代儒生高談身心
性命之學修己而不能治人守經而不能達變近世言新學者
反疑經學爲空疏儒術爲迂闊倡爲廢經之論故欲一雪此言
冀青年淹通經史處爲周程張朱出爲葛陸范馬第經精而史
疏經純而史雜知史而不知經僅成爲李文饒寇萊公張江陵
一流人物然李寇張諸人自是一代名臣其才實有可愛處雖
不學無術終勝於迂儒栩生平讀史知人論世獨出手眼不肯

人云亦云故編此書本旨偏重在政事扼要在才識名臣名儒一言一行無不包涵道德即已本末兼賅尚擬另編一書專重孝悌忠信爲蒙養之本若此書則成材之人所用於道德已有根柢矣長者疑栩略道德而言政事其實不然第仁者見仁知者見知性情學問不能強同長者看得道德才識是兩截的有才識而無道德則爲無忌憚之小人愚看得道德才識是一貫的有道德而無才識則爲不通世故之君子使武侯無才識何以定隆中三分之策使宣公無才識何以成興元再造之勛至操懿奸邪安足當才識二字愚意旣以經爲主體則道德自然包括在內以史證經則才是真才識是真識此編書之本旨也

覆清詞鈔編纂處書

比奉琅函敬悉諸公有編輯清詞鈔及續選篋中詞之舉藝林鴻業甚盛甚盛竊維有清一代才人踵系家滋蘭畹人握金荃其詞鈔散見於各家專集及各種叢書者就僕所知亦不下百數十種然皆習見之書鄴架當早著錄愚見擬請將已有之書編印目錄分寄知交在目錄中者毋庸再寄目錄未列者再由同人廣爲蒐訪未識尊見以爲何如譚氏篋中詞篇篇粹美足稱佳選惟列選者二百餘人卷首未列姓名總目不便檢查又題詞名者從別集僅題名者從選本體不一律續選擬另編小史並附列別號集名尤見精善律門知好中如郭嘯麓郭詷伯

胡晴初徐芷升諸兄皆詞學專家頗多佳製已囑選錄逕寄故
友曹君直中翰元忠夙擅詞名篋中檢得舊詞四闋另紙錄呈
即乞察收是荷

覆言仲達書

伏讀尊著駢文筆力權奇能扛龍文百斛之鼎詞采炳耀如張
鶯錦七襄之機擬諸昭代諸家實爲袁簡齋彭甘亭一派愚以
爲篇篇可錄不妨以全稿寄去取舍之權付諸選家可也弟五
十歲前文字均付刦灰近年偶然綴筆謬爲郢丈樊丈闇公師
鄭諸公所稱許然思筆平鈍無復少年時之才氣崢嶸曩師鄭
來告某名士論弟駢文有風格而無才氣能作記序小品不能

作碑版巨文師鄭意似不平弟則謂所評甚當少年作文好獺
祭多從兔園冊掇拾而來庚申一炬片紙無存幷兔園冊同歸
於盡晚年腸枯腹儉小品偶有可觀遇大題目則汗流僵走矣
我輩留一卷文字有人譏彈已非容易所恐讀不終篇卽付之
燒薪覆瓿耳詒書鶴亭在坐亦以鄙語爲然近爲友人作文序
一首論駢文原委似與尊指相合附呈鑒正昭代駢文至乾嘉
而極盛迨同光而漸衰然就弟所識者如張廣雅李越縵馮蒿
庵王晦若諸公皆卓然有老輩風格又如樊山之華鍊石甫之
雅雋亦自名家此外才人尙難僂指若欲網羅四海綜貫兩朝
別擇固難搜羅亦不易不知有曾賓谷吳山尊其人否劉梁壑

先生之詞源出北宋氣格尙高遺稿飄零僅存此帙賴公雅意

表彰詞客有靈定當銜結樊山老人處即去函求題弟於此道

本非作家珠玉在前益慚形穢矣

覆廉南湖書

日前瞻禮忠靖祠堂讀觚廬老人畫卷同參玉版禪令我肺肝

欲熱齒頰猶馨也比奉手教幷題貫華閣二律古抱今情芬芳

悱惻烟霞不老山水有靈異日把臂入林當與閣下過草庵登

高閣煮茗清談續去梯玩月故事也閣址已經營度觚廬畫本

亦將脫稿原擬俟弟回里落成後再徵題詠而名流投贈已盈

篋衍樊山之賦闇公之記傳誦一時合諸佳什鼎足而三矣天

涯歲晚鼓角迎年如此烽烟安得有好懷抱也

與沈太倅書

文字因緣神交已久前托疑始以貫華閣圖徵題自愧冒昧乃蒙高賢不棄寵錫珠玉遂使林泉增韻縑素生輝感幸曷極伏讀手教始悉兩家交誼垂四十年先世芝蘭之契同科棣萼之輝風義淵源由來舊矣世變紛紜人事錯迕家兄藏身人海弟則遁迹津沽年世故交遂多疏闊煙霞無恙竹素有靈借題圖一重公案使弟與執事重結翰墨緣青山白雲爲我搴修亦佳話也尊著便佳簃雜鈔早已流播藝林此外各種亦望賡續付印弟雖婞陋樂助其成明春入都當詣繁霜閣握手深談一傾

積愫也

覆傅沅叔書

春間入都值台從南游不克承教棋局變更朋簪雲散曩時文讌之樂渺若山河燕麥兔葵舉目有滄桑之感而執事數月以來亦多不如意事中年哀樂陶寫爲難惟道力足以勝之耳承示蓉裳先生手批松崖詩錄乃甘肅狄道吳信辰先生鎮所著先生由舉人官至湖南沅州知府主講蘭山書院早歲詩學爲牛空山入室弟子其集多名人題跋如袁簡齋王西莊諸先生皆推許甚至此册蓋蓉裳先生官甘肅時所批校者晚晴簃清詩選錄關隴詩篇較少未識此册曾經蒐采否

與王書衡書

伯宛所著吳郡通典苞綜百代貫穿羣書華郡之才經世之業卽將寫定之本付印現已蕆事送呈百册乞分贈知好惟校勘不精誤字甚多其最謬者爲龕字按南史王敬則曰吾終不受金甖寫者誤合爲一字校者仍之今已刻成不能改以此知校書亦須有學問也伯宛詩文爲式之同年收藏聞已寫定想卽付剞氏矣樊山丈詩文稿兄允爲排比整理極佩高誼惟全稿多至五十三巨册若付石印恐需數萬元無從籌墊樊丈嘗語弟晚年五分鐘可成一律其中大半爲應酬游戲之作付印時須删去弟請以選政屬諸閣下自任校讎今全詩旣難付印分

別去留亦不易下手或擬不選詩而選題是亦一法也敬祈經
帷多暇著手編摩校讎之事弟不敢辭泚筆以待

與夏閏枝書

日昨走謁適直公出未克承教留呈詞稿一一册是漚社同人近
作囑某轉求評選伏念先生詞壇宗匠爲今世之石帚玉田所
冀經帷多暇加以丹黃借玉尺之量作金鍼之度此同人所企
幸者也第一集至十七集已由疆邨先生評選三十八集以後
尙未寫定疆邨選例於每首上加三圈雙圈單圈爲識別三圈
最嚴大約每題中不過二三首亦有全是雙單圈者蓋暗寓去
取之意音律稍乖者則用眉批註明待酌詞律嚴於詩律不能

稍示圓通也并以奉聞某入社較遲所作較少可存者寥寥乞
痛加繩削爲幸花事未闌某在舊京尙擬勾留數日容再走詣
高齋面聆淸誨也

覆侯疑始書

久未通問殊勞夢轂比讀手教並錄示論詩三絕句足以代我
解嘲惟推奬之語仍不敢承近歲追陪壇坫吟風弄月聊以自
娛絕無標榜門戶之見當代詩家散原海藏久負盛名其所作
吐棄凡近實有精到不磨處後學尋聲逐響自謂得西江正派
實則沿竟陵頹波論者因末流之失訶及初祖過矣曩聞樊山
老人言丁丑歲入都廣雅相國索閱近作詫曰君詩何精進乃

爾豈枕中別有鴻寶乎樊山曰無他不過多讀宋詩耳廣雅爽

然蓋樊山之詩實兼唐音宋體僕雖親承風旨終媿望塵今某

君阿私所好以拙詩與樊山並論令弟通身汗下老韓合傳齊

莒同盟徒爲識者齒冷蓼蟲桂蠹甘苦自知閣下解人當能諒

察近日排比燼餘得十數種將付剞氏詩稿僅存什一二淘之汰

之仍多瓦石平生論詩專尙唐音與近代風氣不合酸鹹丹素

好尙各殊得此者以庋長源之架耶以覆士衡之甕耶聽之可

矣僕於中秋前到平朋簪雲散琴尊寂寥樊山閉門覓句意興

亦甚落寞昨過敝齋詢及尊況托致惓惓閣公就養青島彤士

作幕吉林各社友亦紛紛他往鉢韻鐘聲幾成絕響矣

與范寅伯書

前奉惠教並讀大集浣薇雒誦拊節安歌玉潤珠輝金舂石戛幽泉鳴磵自成八音春雨灑花都作五色誠士衡所謂徽徽溢目洋洋盈耳者矣屬製序言歲事卒卒鮮握管之暇前日由都門回津在車中搆成腹稿錄草呈教倉促不暇點竄祈閣下痛加繩削本欲遵命作駢序而意緒荒率憚於鍊字琢對故以散體塞責而詞藻仍是駢文此等文不合體裁似明季人所作古文牧齋梅村皆是此派遂爲紀曉嵐所譏偶一效之知必爲方家所笑矣拙著詩文皆刼後之嬸灰棄餘之雞肋重承獎飾彌覺汗顏倘蒙賜以弁言使賤名附見於大集之中甚幸

覆張琴舫都轉書

仰企清風爲日久矣前由舍妹寄示大集十讀三復如嚼梅雪如飲薇露令人齒頰俱馨敬題七律於簡端不辭布鼓雷門之誚辱承獎飾塵忝良多遼左山海雄奇數百年來勛伐彪炳今則龍光上燭文化日昌其間必有大雅閎達之才起而宏獎羣倫振提風雅如閣下之聲望才力真曾賓谷盧雅雨一流人也關河脩阻不獲執鞭風雨雞鳴思何能已前呈拙印叢書皆平生師友遺著斷錦零縑僅足供酒後茶餘之消遣耳遼東先哲遺書前此未有人爲之搜輯恐有凋零磨滅之虞閣下具此通才必能酬此宏願他日蔚成巨著流播藝林甚盛事也

與許儀廷書

觚廬老人貫華閣畫卷經營慘澹歷二年而始成聞其作畫之先時掉輕舟或攜笻屐遍歷湖濱山麓風月烟雲之趣滂沛於胸中然後伸紙落筆一展卷而惠山全景如在目前是此老平生傑作但與拙記後幅意境略有不同記作於兩年前業已上石不復改矣閣外須多植松竹梧柳泉上種梅數十株軒後懸一榀取白石詞意題曰舊時月色關合玩月故事並爲綠萼仙人寫照後山多種楓柏秋冬間萬樹丹黃如一片珊瑚海八景之外更添二景曰秋山紅葉曰雪磵梅香亦勝事也近見北京某報載某君未著姓名貫華叢錄考於梁汾容若事蹟蒐采極富考

證極詳於拙著頗有修正處蓋貿華勝蹟日下名流傳爲雅談

觚廬之圖益增聲價矣

與曹纕蘅書

塵俗紛紜久踈箋候維琴書清暇撰著康娛爲頌弟筮遁雲律

鹿鹿尠淑兩月以來閣公栗齋相繼藎落風雪天涯江湖歲晚

傷離吊夢懮悒如何閣公博學通才倫輩罕匹而宦不挂朝籍

名未薦賢書獨餘文章足以傳世遺著十餘種當爲排輯印行

近日其令子來告已葬於京口招隱山竹林寺側乞滄趣老人

誌墓並擬遍求執友賜以哀誄詩文刊成一集託弟助其徵求

閣下與閣公夙稱投分蘭成思舊之銘士衡歎逝之賦惓惓風

義豈後古人願乞佳章以光竹素天琴老人四律最佳弟亦作

五古三章錄請鑒定詩不足論敘事述哀但蘄真切不計工拙

也

覆曹纕蘅書

比奉手教敬悉履侯綏愉爲慰前在國聞報拜讀大作誼兼比

興哀感頑豔作此等題思欲其幽采欲其沈氣欲其咽尊詩具

此數美真漁洋秋柳之製非弟所及也弟以遲暮之年值亂離

之世感深葵麥興託荃蓀九月間偶有棖觸借秋草爲題廣身

世之感先成一首自覺不成片段又續三首細玩章法尚須先

後互易惟和詩步韻已多不能改動矣衰父少年本有驚才絕

豔之目晚年加以超雋作此等題尤所擅長南北名流和詩已得三十餘人內多聞名而未識面者此次仗公及什公鼓吹遂使名篇雅製玉映珠聯璽娛之姿藉嫱施而增色爲幸多矣律門一年以來雅道衰歇丁查白李諸君先後凋逝此外諸社友或類管幼安之渡海或效劉伯倫之閉關酒意文情一時俱盡故作者僅嘯麓立之四五公韓齋亦尚未交卷此事不便迫促也樊丈去秋來津下榻小齋夜闌談藝謂晚年每五分時可成一律其中游戲之作應酬之篇身後刻集均宜汰去弟請以編輯之事付之書衡治薌而自任校對春間晤書衡云全詩石印需七萬元若分別去留頗難下手治薌擬以題目分去留法甚

簡易且與樊丈之意相合今書衡又逝矣弟與樊丈交情原不
容辭第遲暮之年不敢獨任公與治薌才力足了此事若肯擔
任弟當贊助俟台從到津面商拙著印成九種皆不足觀故遲
遲未敢呈敎容檢齊再寄

覆劉翰怡京卿書

企慕芳型爲日久矣比奉賜札如接敎言遙望南雲彌勞紆軫
伏想雅藻清風藉甚當代海內賢達皆以攀嵇御李爲榮而弟
屛跡海東不獲登著作之堂親承風旨月前一山左丞轉達尊
指以崇陵補樹圖命題竊以圖中名章妙翰觸目琳琅自愧何
人乃敢加墨顧念草土餘生曾司畚鍤當日從先德閣學公假

榻艮谷莊僧寺扶輪承蓋者二月有餘老輩虛衿深蒙獎誘旋以政變別去不獲再見珠邱未築鼎玉遽更追念前塵輒爲悵惘今讀尊圖倍仰名家忠孝之風益動故國滄桑之感旣承雅命又奚敢辭弟殘年多病學術荒蕪前呈拙著聊代羔雁重荷獎飾媿不敢承歲暮天寒諸維珍衞

與令茀妹書

手書具悉金夫人壽序格老氣淸不類閨閣筆墨金息老彼此知名僅見過兩面曾以家集屬兄題詠今存稿中兄聞樊山訃來平前日往弔空齋塵榻顧視淒然老人病中曾貽書約兄一面兄以病後氣虛遷延半月孰知其不及待耶晤其令姪令媳

詳詢家事知遺產尚有現金二萬元股票二萬元足敷饘粥之
資後事由傳治薌料理詩文稿五十一册王書蘅擬爲編輯付
諸石印老人嘗語兄晚年多游戲應酬之作刻稿時須斟酌此
意當爲書衡言之數月以來知交物故者五六人樊山吾師闇
公吾友尤爲暮年文字知己同時凋逝能無感傷兄所著書十
數種陸續付梓先成詩文集八種再遲一月便裝訂成書當寄
吾妹十部分贈知好年逾六十學問不能再進故借刻稿作一
結束曩歲官京朝時以章奏擅名衡量寸心當以詩爲第一駢
文次之詞又次之樊文闇公亦同此論他人雖稱獎亦是浮詞
兩君雖譏彈亦中竅要甚矣文章知己之難也現刻詩文友朋

中均謂甄錄太嚴覆閱之則存者未必盡佳去者未必盡劣手定之本去取猶難悉當况望諸並世之知音後人之冥契哉煃兒於正月二十七日生一子大小均安兒已得兩孫一孫女牽衣繞膝奪棗爭梨亦晚年之樂事也

癸未中秋

苓泉居士自訂年譜

張啓後書耑

苓泉居士自訂年譜卷上

無錫楊壽枏輯

同治七年戊辰八月二十一日卯時余生於邑城大成巷新宅

祖居在下塘旗杆下　六世祖若千公諱度汪以博學鴻詞入翰林故邑人呼爲鴻博第粵寇之亂燬於兵亂平同里先祖妣侯太夫人營大成巷宅居之厥後鴻博第修復乃稱旗杆下爲老宅大成巷爲新宅　齊次風孫頤谷李蒓客皆以八月二十一日爲孔子生日辨證極詳孫氏讀書脞錄日公羊襄二十一年十有一月庚子孔子生按經上文云十月庚辰朔則庚子爲十月二十一日蓋孔子以周之十月夏正八月二十一日生李氏越縵堂日記日襄公二十一年己

酉九月庚戌朔冬十月庚辰朔春秋經有明文則十月庚子

爲二十一日之確據公羊作十一月庚子齊氏謂傳寫之誤

按陸氏釋義公羊音義於庚子孔子生下云傳文上有十月

庚辰則亦十月也一本作十一月庚子孔子生是公羊本與

穀梁同今本爲誤也

己巳二歲　先大夫命名曰壽棫號味雲小名松生

庚午三歲

辛未四歲　先妣張太夫人教以識字日能記三十餘字二妹

浣芬生

壬申五歲　入家塾師杜靜溪先生授大學章句八月大病幾

殆至十月始愈廢讀者四月

癸酉六歲　讀中庸論語三妹韻芬生

甲戌七歲　讀孟子始學爲對偶　太夫人課以唐詩

光緒元年乙亥八歲　師毋舅孫厚齋先生讀詩經尚書周易

始學爲詩　太夫人毋家太倉爲天如先生後故最愛鄉先

輩吳梅村詩授余以永和宮詞琵琶行圓圓曲諸什皆琅琅

上口終身不忘也

丙子九歲　讀周禮爾雅禮記四妹生旋殤作重陽詩曰風雨

冷淒淒龍山望欲迷白衣人送酒跌了一身泥師閱之失笑

既而曰此詩甚有思路且能用典可喜也自此益喜爲韻語

丁丑十歲　師族祖簡庭先生讀禮記左傳始閱通鑑余幼時記憶力頗佳　太夫人授以梅村鴛湖詩我生江湖邊五古一首讀一過即能背誦又簡庭師錄木蘭詞置案上師赴別室讀而愛之默誦兩過師已返退歸已坐而詞已成誦不遺一字至老不忘蓋性之所近易於記憶也

戊寅十一歲　讀左傳清明日放假與羣兒適野爲風箏之戲風勁綫斷踣而傷爲　先大夫所見撻之歸將施夏楚　太夫人解之罰作風箏詩成絕句云清明時節好風天齊向春郊放紙鳶莫道常偕童子戲青雲得路獨登仙　先大夫笑曰詞雖俚有寄託乃免責

己卯十二歲　讀古文　先大夫手選古文百篇分爲四集一聖賢義理之文二名臣經世之文三漢魏以來家弦戶誦之文四六朝唐宋駢儷之文余受而錄之輯爲家塾古文約選

九月　先大夫選授溧陽縣訓導至蘇垣謁撫藩余隨侍寓俞氏園居一月遍遊虎阜獅林諸勝十一月從至溧陽學署衙齋老屋三十餘楹地極幽靜門前古槐一株幢幢如蓋暑月輒執卷坐臥其下西偏小圃頗有花木每於隙地疊石壘土爲樓閣亭沼之狀雖兒戲事至今思之猶有餘味也五妹清芬生

庚辰十三歲　師任伯英先生讀文選作史論嘗作周公輔成

王論謂武王九十三而終成王尚在襁褓是成王之生武王已將九十而唐叔諸弟之生又在九十後矣邑姜爲武王之元妃成王之母生成王之年歲雖不可考至遲當在四十左右與武王須相差四五十歲豈武王五十歲以前並未娶妃九十歲以前並未生子乎考之經史終不能明問之師亦不能答　先大夫閱之日此子頗有思路乃授以古文義法

辛巳十四歲　始學爲制藝及律賦試帖余性好詩古文詞所爲制義不中繩墨多或千言少或一二三百字皆策論體也六

妹瑤芬生

壬午十五歲　師吳魯卿先生與蘭樵五弟同學始專力於制

藝是冬回里應縣試取二十一名府試取三十五名

癸未十六歲　五月應院試正場取第九名提覆以疵被擯正場詩題爲餘霞散成綺余詩有白地光明錦青天頃刻花之句爲學使所賞蔭北二兄入泮試後隨　太夫人至溧陽學署六月大病幾殆醫家謂余脈細而靜厥名六陰病雖危而脈象未變無妨也歷三月始愈七妹瓊芬生

甲申十七歲　二月回里應縣試府試俱列第二五月院試以第一名入泮古學取闔屬第四名學使者爲瑞安黃漱蘭先生覆試經文尤蒙賞許評爲經義紛披後二義論宏闊得未曾有閏五月望試畢回里甫三日接溧署信　太夫人於十

六日棄養五內摧裂卽日偕大姊二妹星奔至溧伏念壽枏生
而多病屢瀕於危賴　太夫人鞠育調護始克成立今爲微
名不及親視含殮痛哉十一月扶櫬歸里暫厝於錫山麓事
畢返溧
乙酉十八歲　在溧陽學舍讀書師竇曉湘先生治舉業從母
舅孫筱垞先生習算學竇師爲吾邑魁儒門牆最盛尤賞余
文每一藝出必令同學傳觀師門賞音不敢忘也
丙戌十九歲　在溧陽學署讀書大姊出閣姊丈爲同邑王芙
伯鏡蓉蘭樵五弟入泮是冬服闋顧夫人來歸　侯太夫人春
秋高　先大夫歲時乞假歸省至是命余夫婦里居侍奉起

居

丁亥二十歲　五月科試取一等第七名補增廣生學使者爲

長沙王益吾先生八妹令苐生庶母馬宜人所出

戊子二十一歲　在溧署讀書　先大夫集高才生立文社於

署中余課必第一頗負時名長女景昭生秋應鄉試薦而未

售

己丑二十二歲　偕經笙叔讀書於惠山家祠五月歲試取二

等二名秋應鄉試堂備額滿見遺鍾石叔蔭北兄舉順天鄉

試

庚寅二十三歲　五月科試取一等一名補廩膳生學使者爲

順德楊蓉浦先生正場覆試兩藝均蒙激賞刻入試牘少時
讀尚書私意舜崩之年已百有十歲禪位之後法宜安居深
宮何必遠狩蒼梧致稗官誣爲野死又舜宗堯而禹不宗舜
亦與前例未符此次試題爲萬章曰人有言至於禹而德衰
不傳於賢而傳於子有諸文卽發揮此意後二比曰隨刊爲
萬古之奇勳功德在民生廟食自應久享則傳子亦天理之
公然出諸禹而似有私心矣夫宗祀配天極郊廟尊崇之典
乃羽陵圯族以游魂而袞玉升壇於情似有未安者告神宗
之廟其有愧辭乎德不足以被後嗣何怪乎洛汭畋游斟鄩
遷徙未百年而祖烈已微揖讓亦兩朝之創舉聖神不世出

神器豈可虛懸則傳子亦人倫之正然行諸禹而反爲變例
矣夫耄期巽位正宮廷頤養之時乃蒼梧陟方以暮齒而翠
華遠狩於理亦有難解者入重華之宮其有慚色乎德不足
以懷遠人何怪乎三苗逆命九扈稱兵不再傳而王靈已替
總覆日宗師面諭曰子文甚佳後二尤瑰奇惜太露芒角吾
謂托諸人言亦尚不妨故首拔之若鄉會闈中切不可如此
作知己之言令人感佩舉優行生未應考調南菁書院亦未
赴余少年志盛氣銳視科第如拾芥無意於優拔貢也　大
伯父京卿公任直隸通永道諭令北上乃於十一月由海道
至天津又陸行三日至通州時鐵道尚未成也課翰西十三

弟讀書

辛卯二十四歲　四月韻芬三妹出閣妹婿爲閩縣龔宜甫(晉義)藹人方伯(易圖)之長子也七月長子景杰生是月入都國子監錄科取第二名八月應順天鄉試九月榜發中式第七十二名主考爲刑部尚書許恭慎公(庚身)左都御史徐壽蘅師(樹銘)戶部左侍郎廖仲山師(壽恆)內閣學士愼齋師霍穆歡房師爲翰林院編修豫建侯師(泰)余首場卷呈薦後豫師即抱病出闈卷出許師手已批中矣因二三場未到撤下塡榜前數日收落卷置箱中余卷批有中字獨遺案上許師覆閱數日有文如此何忍棄之適他房一卷以疵撤下房考力爭以余卷示

之始服乃搜出二三場卷令他房補薦遂入彀謁許師時談
及謂得失洵有命也應保和殿覆試欽定一等第九名卷出
翁文恭公手頗蒙稱許仁山兄同捷順天榜場前得關帝籤
云十年窗下苦埋頭空戴南冠學楚囚仙桂欲攀攀合得古
來投筆盡封侯是科南元爲賀綸夔本房房首所謂戴南冠
也賀爲湖北人與楚囚相合前門關帝廟籤素稱靈應故漫
記之
壬辰二十五歲　三月應會試未售仁山兄聯捷五月出都回
里　汪仲伊年文宗沂相余日君形似鶴聲清而步聳是行鶴
非翔鶴是園林之鶴非雲霄之鶴然在園林中從容飲啄顧

視清高自是富貴家之物又命爲木命形亦木形命相相合
生於秋枝葉不能滋茂故軀幹瘦而鬚髮稀斂華歸根法當
晚成利於秋賦不利於春官也果如所言則與去年關帝廟
籤相合可以投筆矣汪丈爲歙縣人庚辰進士於學無所不
窺談命相尤多奇中語余曰相以清奇古怪爲上格凡豐腴
平正者必多庸福此等人得意天下必太平吾近歲歷觀少
年人命相與常格不同所謂福相者未必皆貴命而所謂貴
命者又未必皆福相恐數十年後世界未必如今日之承平
人物未必如今日之華貴吾老不及見子姑識之又曰開國
貴人多龍虎之相太平時貴人多麟鳳之相衰世貴人多猿

鶴之相命相隨氣運轉移所言殊有名理浣芬二妹出閣妹
婿爲江陰章紱雲廷華十月　祖妣侯太夫人棄養　太夫人
恭儉仁厚御家有法度子孫數十人年八十五而卒修齡厚
福皆盛德所致也
癸巳二十六歲　正月　侯太夫人葬於靑暘與　名宦公合
兆六月赴江陰送試書侯七弟森千九弟果臣十一弟同入
泮　是年編輯十年中所作詩文曰紅樹山莊詩文集範甫
兄題其後日作者所爲詩文淸若梅雪鮮若荷露朗若秋月
豔若春花同輩中所見亦罕然吾輩事業尙有大者遠者但
以文人自命非吾所望於君也余惕然悟是年起始治經世

學

甲午二十七歲　二月入都應恩科會試未售向例鄉會試多買謄錄取其書法端正閱卷者易於動目也是科監試侍郎長萃素嚴厲欲革此風一日於謄錄處搜得二十六卷遂將二三場扣下余及蔭兄卷適在其中榜後晤翁弢甫太史云二十六卷中擬中者四本房薦一卷已中第四二場卷未薦撤去買謄錄者二千餘卷而此二十六卷獨被扣豈非數耶因明年正科留京候試住蔭哥寓中七月與日本開戰我陸海軍屢衄旅順大連相繼失守都城戒嚴大駕有西狩之說京官紛紛遷避蔭兄儤直樞廷不能離職乃約定事急時兄

當隨扈余則護眷屬擇地避兵是冬朝市蕭條風鶴數警目擊時艱慨然有投筆請纓之志不復治科舉業矣經笙叔範甫兄蘭樵五弟舉本省鄉試是年改名壽枏

乙未二十八歲　應會試薦而未售房考爲蘄水陳編修曾佑尤賞余二三場有通才之目闈中已擬中卒以額滿見遺四月出都偕宗石叔範甫兄蘭樵弟錢史才偕行出山海關登角山望海時和議初成戍兵未撤海邊吹角塞上傳烽覩時局之阽危念名場之蹭蹬自顧身世不禁蒿目灰心也五月抵里經儒八弟肇宇十弟入泮

丙申二十九歲　是年因　先大夫多疾暫輟遠遊閉戶讀書

奉親課子是年起始屏棄舉業專治史學尤肆力於財政一門歷史及九通中錢幣賦稅鹽法漕運各門皆分門別類提要鉤玄纂錄至數十萬言積成數巨册生平於財政略窺門徑蓋得力於此兩年中也

丁酉三十歲　四月女秀寶生　先大夫於上年秋冬患咯血之症　仲父藥之而愈春間復發侍之蘇滬歷謁名醫未能見效五月間又加脾泄元氣益耗余親侍醫藥餐寢俱輟病勢日劇竟於六月二十二日棄養呼天搶地痛不欲生視息人間勉治大事十月奉櫬暫停於惠山家祠翰西十三弟入泮

戊戌三十一歲　橐筆事畢慨然有遠遊之志　伯父京卿公方以河東鹽法道權晉臬乃於二月治裝西上由海道至津陸行一千餘里歷四大天門之險（詳所著西征前記）三月至晉陽六月　京卿公卸臬篆從至河東　八月接家書秀女殤十月　京卿公署藩篆復從至晉陽時撫晉者爲天門胡蘄生中丞辛卯鄉試監臨師也創辦新政設武備學堂商務局紡織廠皆以　京卿公爲督辦奏疏函牘皆余所擬爲中丞所賞遂延入署中主內文案兼撫藩兩幕杜門治文書不通賓客者數月以遠嫌也石臣十二弟入泮

己亥三十二歲　京卿公於三月卸藩篆復回河東余偕範甫

兄送至百里外繞道遊晉祠唐叔虞之祠也在太原西南八里其山曰懸甕山海經曰懸甕之山晉水出焉是也泉出於聖母廟之側流經祠下水色縹碧瑩澈如鏡寺僧甃石爲沼澗若圭若玦若環若帶引泉分流曲折縈繞然後下注山麓溉田千頃祠前多虬松古柏蒼翠四匝酈氏水經注所謂水側有涼堂結飛梁於水上左右雜樹交蔭希見曦景髣髴遇之散策逍遙不忍遽去誠寰中之靈境塵外之仙都也（余著有遊晉祠記及五古詩稿已燬）八月　京卿公升任長蘆鹽運使中丞公開缺余亦以葬親南歸九月行十月抵里十二月葬　先大夫於小菱灣與　張太夫人合兆十一月五妹清芬出閣妹婿爲丹徒朱

庚子二十三歲　三伯父藕舫公辦業勤紗廠令余主辦廠務

先是余以紳富捐獎內閣中書五月將入都供職聞義和團

之變乃止八月女靜寶生

辛丑二十四歲　八月八國和議成　京卿公以運使駐都門

諭令北上十一月抵都十二月就內閣中書職

壬寅二十五歲　壽州孫文正公邀余入幕中主章奏寓後孫

公園安徽館相國清風亮德負時重望每日朝退必至余齋

中談經史深休教澤五月　京卿公奉旨以三品京堂候補

督辦順直紡織事宜九月請假南歸余赴津送行仍回京供

職少平叔翰西十三弟舉本省鄉試九月六妹瑤芬出閣妹
婿爲蘭州劉幼軒思誠

癸卯三十六歲　二月乞假南歸八月入都應商部考試取列
第十七名引見記名七月間奉旨添設商部以貝子載振爲
尙書陳璧顧肇熙爲左右侍郎咨內閣各部保送中書部曹
考試取者按照原官以郎中員外主事補用余本請假回南
適賈子咏觀察新簡正太鐵路總辦邀余任總文案屢電催
促乃於中秋日到京而子咏已被劾去職商部適於十七日
考試孫文正公已將余名保送悤悤橐筆入試題爲馬班以
下不傳貨殖論取四十人引見記名二十八人余非子咏電

催未必入都雖保送而未必入試各部先經本衙門考試獨
內閣徑由大學士點派冥冥中若有相之者於以知功名得
失殆有天焉果臣十一弟舉本省鄉試伯庚十七弟入泮女
景暉生十一月七妹瓊芬出閣妹婿爲江陰陳叔達名璋
甲辰三十七歲　二月商部傳到分保惠司行走三月得家信
知長兒景杰夭逝兒聰慧劬學縣試取前列試後感寒疾兼
染喉症庸醫投以涼劑遂不起年甫十四也傷哉四月靜女
殤五月補保惠司主事充幫掌印上行走十月眷屬來都僦
居上斜街屋爲顧俠君秀野草堂舊地亭館幽靚花木扶疏
放衙後常邀友朋觴詠其中亦京曹之樂事也

乙巳三十八歲　調補平均司幫主稿又調庶務司幫掌印僦
居順治門內石虎胡同屋爲明大學士周延儒宅國初爲吳
三桂之子額駙第乾隆中爲裘文達公賜第後歸潘河帥錫恩
迄今仍屬潘氏余眷居西院卽裘文達之好春軒院後小屋
兩間封鎖歲久干晦若侍郎過訪爲述此屋向有妖魅見紀
文達公灤陽消夏錄中京師號爲四凶宅之一余初未知居
此三年升官添丁多吉祥事繼居者死亡相踵無人敢居後
乃拆卸改建六月奉旨派鎮國公載澤戴尚書鴻慈徐侍郎世昌端
中丞方紹右丞英分赴東西各國考察政治澤公邀余同行
以病辭八月十九日五大臣啟程登車炸彈驟發紹右丞受

傷未果行徐侍郎旋授巡警部尚書紹右丞傷未愈乃改派尚方伯其亨李公使盛鐸爲澤公之佐余病已愈澤公調充二等參贊十月出都十一月由滬放洋抵日本東京余隨澤公住芝離宮日皇之別宮也在東京度歲余任總文案佐之者趙仲宣從蕃後官江西省長劉樸生鍾琳後官湖南按察使姚柳屏明誾後官內務部司長黃次腴瑞麟後官御史也八妹令苐出閣妹婿爲同邑李滌雲福康

丙午三十九歲　正月次兒景熢生是月杪由東京啟程至橫濱登英國大北公司達柯達輪船渡東太平洋七日而抵美國之波湯星海口登陸乘大北鐵路公司貫北美全部行八日而抵紐約改乘英白星公司波羅的海輪船渡西太平洋

八日而抵英之利物浦登岸至英京倫敦留一月至三月杪
赴法京巴黎留二旬復回倫敦渡加發海峽而至比京留半
月考察事畢至法國馬賽登法郵船公司阿賽布乙克輪船
出地中海紅海蘇彝士河歷印度洋經南洋新加坡等埠以
五月抵滬六月回京覆命七月編書於法華寺余任總纂所
譯東西洋政治書編成六十餘種咨送憲政編查館擇其精
要者三十種分撰提要進呈乙覽九月奉旨派澤公及各部
院尚書南北洋大臣釐訂官制奏派余隨同編纂居海淀之
朗潤園同事者二十餘人皆一時名碩以使事勞保俟補員
外郎後以郎中即補加花翎三品銜

丁未四十歲　改補農工商部工務司主事充幫掌印兼充商律館纂修十月隨楊杏城侍郎赴南洋各島撫慰華僑乘海圻海容兩兵艦歷小呂宋西貢暹羅爪哇新加坡檳榔嶼各島十一月三兒景熾生余在海容兵艦中得家書乃名之曰海容十二月事竣返滬回里度歲南洋各島華僑多閩粵籍雖爲歐美屬地而工商業皆在華人之手商務以新加坡檳榔嶼爲最繁物產以小呂宋爪哇西貢暹羅爲最富使車所至萬衆歡迎愛國之心視內地人民爲更摯余著有海南采風記庚申燬於火

戊申四十一歲　正月回京覆命上考察南洋各島華僑商務

摺頗爲時傳誦三月補工務司員外郎充主稿兼充公司註

册局總辦商標局會辦先後任本部尙書者爲振貝子溥仲

璐先生穎侍郎則爲顧康民先生肇熙唐蔚芝先生文治楊杏城

師士琦熙隽甫先生彥皆蒙倚重部中要政頗參預焉余以甲

辰補主事後本部員外郎出缺五次擬陪均爲律要子弟所

躐取同曹皆不平余處之泰然至是始補員外郎逾年遂升

度支部郎中旋擢參議以七品中書六年而至京堂亦可云

速化矣仲春從耕耤田自丁亥後久未舉行考訂親耕儀注

整備如禮購屋於城西太平橋價一千七百兩三月移新居

四月長女景昭出閣婿胡仁鏡入贅十月德宗上賓今上登

極

宣統元年己酉四十二歲　時籌備九年立憲澤公爲度支部尙書設立清理財政處乃奏調余在度支部丞參上行走充財政處總辦旋升補承政廳郎中同事者爲陳麓賓左丞宗嬀傅夢巖右丞蘭泰曾剛甫左參議習經劉聚卿右參議世珩候補參議則爲晏海丞安瀾管仰山象頤林梅楨景賢余專任清理財政請簡監理官分駐各省處中設十二科選調司員之才敏者充總核坐辦科員是年令各省造送財政說明書報告歷年財政情形爲編製預算決算之用部中重要奏摺皆余與剛甫分擬剛甫博雅工文余不及也

庚戌四十三歲　派充崇陵監修官兼充鹽政院參事是年資政院成立八月編製宣統三年各省預算册送內閣交資政院議決余定清理財政程序期以六年竣事第一年調查全國財政令各省造送財政說明書（民國初曾付印）第二年試辦各省預算令財政統一於藩司第三年試辦全國預算劃分國家稅地方稅第四年實行預算辦理決算第五年施行會計法金庫制度第六年各省設立財政司自此事權統一法制嚴明使全國財政如輻在轂如綱在綱度支部通盤籌畫調劑盈虛而清理之事畢矣　各部書吏之權最重戶部尤甚爲有清一代粃政余總辦財政處調各司司員兼充總核坐辦科

員辦稿核算均出司員手書吏僅供繕寫自是積弊盡除司員之才敏者皆嶄然見頭角矣

辛亥四十四歲　補度支部右參議應放長蘆鹽運使爲澤公保留八月編製宣統四年全國預算送資政院十九日武昌兵起九月奉旨派充恭謁東陵大臣余素慕盤山之勝欲乘此遊覽而堂官以部務殷繁未便久離奏請改派是月任袁世凱爲內閣總理入朝後改組內閣余轉補左參議旋欲擢爲右丞余力辭時事日亟本部丞參四人辭職者三余日淸室一日不亡當盡一日之責仍逐日到部辦事至十二月二十五日遜位詔下余於先一日請假出都矣詳見筆記眷屬先於十

月移住天津余獨留京寓伴我同居者鄧君範青也先是澤公購宅於後圓寺令余移居以政變未果十二月四兒景濂生　京朝官設憲政實進會以虛君共和爲主義蓋採責任內閣制以順四海之望而仍留君主位號以繫五族之心也陳弢菴侍郎爲會長余與馬君雋卿奔走其間會中諸人如勞玉初宋芸子吳絅齋俞志韶等數十人皆輦下名流也鼎革後風流雲散矣　宣統朝親貴用事攝政王載灃監國慶親王奕劻爲內閣總理鎮國公載澤爲度支部尚書肅親王善耆爲民政部尚書貝子溥倫爲農工商部尚書貝勒載洵掌海軍貝勒載濤掌軍諮府親貴中惟澤公負時望慶等忌之袁慰庭世凱爲慶

黨退居洹上遙握中朝線索辛亥春監國將黜慶而用澤慶

黨大懼曰如此則我輩連年計畫將成畫餅矣重賄宮監小

德張求隆裕后緩頰后乃召監國曰奕劻雖耄終是宗室老

成請緩二三月待其自退以全體面監國唯唯慶既留乃令湯

化龍聯合各省諮議局上呈親貴不得干政意在阻澤公也

三月後慶不復退至武昌事起慶力薦袁入朝卒移清祚

十月恭請三代封典京官例得加級請封三四品不得踰二

品余入官後屢遇萬壽登極覃恩加級故以實缺四品京堂

得請二品誥封

苓泉居士自訂年譜卷下　　無錫楊壽枏輯

壬子四十五歲　是歲爲民國元年居天津七月周緝之總長學熙長財部先欲調余爲祕書長余薦趙仲宣自代又欲任余爲首席參事余薦趙劍秋自代至是呈請設鹽政處任余爲總辦堅辭不允始就職調舊僚樓君思誥錢君錦孫李君思浩朱君文鈞鄧君以模爲助規模甫定而張季直殿撰謇上鹽務改革案於政府主張廢綱商收場產破引岸朝野大譁項城總統欲反對之而難於置辭余謂此案關於國計民生甚巨張案援古證今言之成理未便駁斥乃另草改革鹽務計畫書大旨爲清場私化引界均鹽稅平鹽價課食兼顧書

凡四五萬言兩案並提交參議院議員討論結果以財政部計畫書籌畫精詳辦法穩愼一致通過而張案乃取消余與季直交誼因此遂離然數千萬之國課恃以爲來源數百萬之商竈恃以爲生計若貿然剷除舊法鹺綱掃地以政府專制之威力破數千家商人之產孰敢違抗而海濱雕悍之民果能槁項黃馘老死於萑苻蜃蛤之鄉乎事關國計民生兼權利害不得不倍形愼重也九月簡授長蘆鹽運使即以是月蒞任距京卿公任時已十年矣景懔以是月殤是年始改陽歷記中年月仍用陰歷蓋欲前後一律便於稽考也

癸丑四十六歲　在長蘆任六月二次革命事起馮華甫都督

率師南征余派緝私統領宋明善以二千人隨行諭以大兵抵錫即派兵駐城保護桑梓未幾南京攻下大局旋定故鄉幸免兵禍十月調粵海關監督未赴長蘆鹽課向用實銀科目繁碎平色參差吏緣爲奸余併爲一條鞭改兩爲元商民稱便又整理場產分濟鄰銷歲課驟增二百餘萬惟部中不正當提款皆堅拒不應爲長官所不便然以籌餉勞頗爲項城稱許改調粵海關非總統意也財政部奏獎二等嘉禾章

甲寅四十七歲　正月請假回籍掃墓旋請開粵海關監督缺在里三月偕經笙叔遊西湖遍探三竺六橋諸勝過北固登金焦訪瘞鶴銘觀周鼎五兒景熺以四月初三日生余適以

是日在焦山寺得周鼎揚本乃名之曰鼎祥得京電派總統府顧問兼財政委員並充整理舊稅處委員府祕書函電交催乃於四月杪入都項城命在公府設財政會凡財政重要之件均交會核議又核定民國四年預算先於冊中簽註呈總統手自批定民國五年以前財政頗具規模者此會與有力焉八月簡任山東財政廳廳長九月蒞任將軍爲靳翼青雲鵬巡按使爲蔡志賡儒楷皆相倚重事無掣肘　袁總統問余曰財政如何統一余曰軍政能統一財政自然統一又二十二省之財政廳長皆選有名望之人充之與將軍省長可以抗衡行使職權則財政自集權於中央矣袁躂之至民國三

四年軍財兩政頗有統一氣象袁每語人曰吾對於各省用人軍政外注重財政所用人材財政廳爲第一等鹽運使爲第二等關監督爲第三等蓋關鹽本屬於中央易於整理也使無帝制發生政治已趨軌道矣

乙卯四十八歲　在山東財政廳任是時政府銳意籌款余電部略謂民間不苦稅則之重而苦稅目之繁請擇稅收豐富科目簡單者實力舉辦其餘雜稅均請暫緩於是專辦驗契畝捐公債三項兩年中經常歲入外增收至千萬財政部考核各省成績以山東爲第一奉令嘉獎例應得雙鶴獎章辭不受在山東時考察各縣令之功過以小册記之新正各令

來省賀歲觴之署中卽以治績最優者數人列之上坐某令居前列出語人曰今日之讌使我汗出如漿稍不慎明歲再來將降居下坐矣此舉雖近滑稽無形之勸懲勝於循例之考課也署中西園擅泉石花木之勝余略加修葺簿領之暇與賓僚嘯咏其中廳前後宋海棠兩株高數丈花時如張錦幄相傳曾子固所植也京師設籌安會將復帝制令各省士民上書公推袁世凱爲皇帝稱頌功德幾有天與人歸之象矣乃勸進之箋甫奏討逆之檄忽來滇黔兵起各省應之項城由小站練兵而起利用軍閥以覆淸乃因果相生種瓜得豆今日反對帝制者卽當日利用之軍閥也

丙辰四十九歲　在山東財政廳任各省反對洪憲帝制兵戈四起海內鼎沸項城意欲調余內用令人示意楊杏城左丞曰山東爲南北樞紐兵事方亟楊某不可輕動余亦以才不勝任婉辭之四月民黨吳大洲由青島舉兵進攻省城官紳有倡獨立者會議於軍署余曰濟南綰轂南北獨立後徐州張軍蚌埠倪軍必反戈北指魯局危矣靳翼青將軍曰命脈全在財政能籌餉六十萬城乃可守余曰能從我三事則軍餉由我擔任一財政由廳調度軍民兩長勿干涉二中交兩行歸廳管轄三各縣收款卽解遲則以貽誤軍需論將軍允准議乃定蓋余已預籌四十萬儲庫故毅然負責蔡志賡巡

按不敢出面政界之事皆余主持民軍每夕攻城槍聲四起拂曉乃止余輒竟夕不寐晝仍從容治事如是者一月項城病故黃陂繼任兵事始解余逆知軍閥勢力漸張時局俶擾事不易爲乃託詞入都籌餉到部卽具呈辭職部長挽留堅辭再三並保王小宋(璟芳)繼任方兵事亟時陶文泉(鎔)忽至圍城中訪余蓋張倪兩帥所派也詢其來意則曰張倪兩帥將會軍直取南京唾手可得得南京後撫定江蘇按軍以觀浙閩之變所慮者山東爲後顧憂耳張子治(懷芝)已定山東督軍不敢遽來究竟山東內部有無變化財政能否支持得君一言大計立決余曰將軍深明大局獨立議已取消內部不必

慮財政於二月前已預籌至少可支兩個月陶曰如是大事定矣余問曾見靳蔡二公否陶曰不必見魯事倚君爲重矣陶乃去越三日靳開缺以張代之旋因項城病故會軍之策未果行當日山東獨立張倪兩軍必迴戈北指魯將被兵余已料及故反對獨立於山東不可謂無功然未嘗自表也余辦理驗契公債等皆有辦公經費計八九萬元除提獎各縣知事屬僚及送省署公費外尚餘二萬元呈請繳庫另儲爲本省災振之用蓋薪俸之外未嘗妄取一錢也以在任理財勞績獎二等嘉禾章十月簡放吉林財政廳長時段芝泉總揆欲留余內用令張乾若祕書示意暫緩赴任乃薦高集安

翔代理山東歸後寓居天津日本租界之花園街三女景昉生八月在德租界後改為特別一區十八號路搆屋十一月落成

丁巳五十歲　正月移居新宅二月擢財政部次長時財政部以銷燬制錢案興大獄總次長均交法庭乃特任李仲軒世丈經義為總長余任次長仲丈因病未到囑余先視事代理部務時承政變之後政府威信漸替各省解款不至中央國庫歲入合鹽餘四千八百萬元關餘一千餘萬兩常關稅六百萬元菸酒稅六百萬元印花稅三百萬元及其他收入約八千餘萬元歲出為一萬萬元余核定每月支出七百萬元收支適合並通盤籌畫定一臨時預算苟得從容整理財政可

復舊觀矣視事兩月國是緊變段總理免職國會通過仲軒
文爲總理於是擁段各督軍會議於津門勢甚洶洶黃陂不
能制召張少軒勳入都靖變旣至解散國會及督軍團新總
理就職國是粗定乃五月十三日忽有復辟之舉余在病假
中奉度支部左侍郎之命未幾馬廠兵起少軒兵敗入荷蘭
使館余病稍愈卽先期出都旋奉署理尙書之命則已在津
門矣詳見筆記溯民國建設以來國勢如累卵朝局如弈棋羣龍无
首海內鼎沸電諭中所謂名爲民國不知有民名爲國民不
知有國語最痛切少軒此舉磊磊落落功雖不成足爲歷史
上有名人物矣　黎黃陂就職後段合肥爲總理府院爭權

動生齟齬議院則國民黨爲府派進步黨爲院派時歐戰方亟外交總長伍秩庸廷芳獻策於黃陂謂英法各國運動美國加入戰團美政府欲與中國一致行動今若與德絕交可得外交之擁護總統安若磐石矣黎信之將下令對德絕交內閣反對蓋懼總統之結外援也或語段總理曰彼主絕交我何妨進一步爲參戰段用其策然按照約法須經國會通過民黨議員謂國內兵事未定何能出師歐洲羣起反對相持不下內閣欲解散國會而總統遽下令免總理之職於是北洋軍閥大譁集議於徐州天津以推倒總統爲目的遂定復辟之議立約簽名公推張勳爲盟主蓋張固主張復辟者也

黎以軍閥勢張不能制乃用某某之策召張入都張僅攜衛隊三千人倉卒舉事初不虞爲袍澤所賣也軍人起自行間缺乏政治常識遂爲政客所利用曰絕交曰參戰曰復辟曰護法其中黑幕重重特以國事爲兒戲而已黎黃陂以復辟之變去職馮河間以副總統代行職權段合肥仍爲總理財政總長爲王叔魯(克敏)始利用公債政策於是七年長期七年短期金融公債次第發行矣按民國初年梁燕孫(士詒)始獻內國公債之策發行三年四年公債不過數千萬中央財政從容基金皆確實五年春中交兩行停兌金融始紊鈔票之流行於市場者市價漲落不定銀行操縱其間卽成爲投機之

事業余在部時擬以六年關餘千萬兩爲基金發行中交新鈔票將舊鈔票按市價收囘蓋舊鈔票已成一種交易品無須整理所以收囘者恐奸商操縱牟利紊亂幣制耳適會政變策未果行至是乃發行金融公債收囘舊鈔票點者收買四五折之舊鈔票換十成之金融公債而國庫乃代銀行擔負數千萬之巨債（查民國二十年財政支出攤還內外債本息計共三萬四千三百四十萬元蓋自民六以來專以借債度日積至今日幾占歲入十分之四國家岌岌有破產之憂矣）

八月永定河決津埠當其衝租界盡成澤國亦從來未有之災也清芬五妹卒於津門妹婿朱清齋久病未愈喪事皆余營辦遺甥女夢華尚幼傷哉

戊午五十一歲　二月偕內子挈五兒回里三月同遊西湖四

月返津六月被選爲參議院議員八月兩院開幕九月舉徐東海師爲大總統　按國會始於宣統二年日資政院其初流品整齊舉動尙循正軌國體初更召集參議院旋由各省依法選舉議員始分爲參議院衆議院議員皆以賄選流品始雜兩院議員分爲兩大黨一日進步黨多官僚工於揣摩一日國民黨多革命份子號爲激烈派氣燄甚張至民國二年兩院爲項城解散洪憲以後法統重光不及一年又被解散河間就職始改訂選法重行選舉是爲第二屆國會大抵議員從田間來學識雖新於政治實少經驗故主張輒與政府相忤又監督政府甚嚴閣員皆須兩院通過爲輿論所擯

者輒遭否決官僚深感不便陰謀搆煽而政府與議員遂勢不兩立矣吾使西時聞彼都人士言各國選舉亦是金錢運動論者每痛心於議員之橫恣政黨之囂張將來代議制之存廢必爲世界一大問題也　同人公舉余爲天津華新紗廠經理先是項城欲振興北方棉業議撥官股四百萬招商股六百萬在北五省設紗廠五處命周緝之總長籌款派周實之學煇爲督辦項城故後議乃中輟部款僅撥百萬而津廠已購機築廠款絀工艱政府以久未開工派員查辦實之力辭督辦乃公推余爲經理添招商股裝置機器於冬間開工於是北方始有紗廠

己未五十二歲　舉充參議院財政理事民國八年預算余手所核定也所著報告書頗爲兩院同人傳誦庚申京寓失慎報告書及預算冊均被焚不復能紀錄矣　上年政府特派緝之總長爲全國棉業督辦至是因病力辭政府慰留而命余代理是年紗廠獲利頗厚出手得盧會有天幸自是北方紗廠蹶起棉業浡興

庚申五十三歲　四月皖直戰爭起皖軍潰敗段合肥避居津門時馮河間已故直派曹巡閱使錕爲領袖吳子玉將軍佩孚副之吳善戰略皖軍敗後聲望驟起皖直同爲北洋派皆出於天津武備學堂　先伯父京卿公門下士也項城時代重

用北洋派擁節登壇旌旗遍二十二行省權位既高漸相傾軋政客搆煽遂分皖直兩派袍澤化爲戈矛矣總統下令解散第二屆國會靳翼青雲鵬爲總理周子廙自齊爲財政總長始行整理公債政策每月提鹽餘二百萬充爲金融等六項公債基金不足則以關餘及交通收入補充蓋發行金融公債之時所預定之計畫也自此一方借債一方整理而國庫八千餘萬之歲入悉爲公債抵押品矣十一月京寓失愼燬上房五楹余所藏書籍多被焚平日所著詩文稿及度支部財政檔案二十二省說明書盡付一炬矣

辛酉五十四歲　是年在津專辦實業復偕緝之督辦創設唐

山衞輝等處紗廠　自皖派失敗後奉直爭權靳翼青去職梁燕孫士詒爲總理張岱杉弧爲財政總長葉譽虎恭綽爲交通總長皆奉方所推薦也梁葉爲交通系領袖而岱杉又以發行九六公債（仍用整理公債政策）爲輿論所攻吳子玉巡使乃連電力詆政府政府亦挾奉力以相抗於是奉直之釁開矣

壬戌五十五歲　二月奉命特派余清理舊債設局於財政部派員着手清查而奉直戰事驟起奉軍以天津爲根據地直軍以保定爲根據地交戰三晝夜奉軍敗北張雨亭收兵出關梁張葉諸君皆被通緝東海亦下野迎黎黃陂復職王亮疇寵惠爲總理政局一變余亦辭差返津　無錫居滬寧鐵路

中心地方繁盛工商發達於是邑人呈請設立商埠公推余爲督辦齊督軍韓省長亦來電推薦九月遂奉命督辦無錫商埠事宜十月回里開辦商埠旋聞內閣改組張敬輿紹曾爲總理余至寧晤齊撫萬督軍燮元密示閣員名單定余爲財政總長未幾京津函電交催余遷延不赴乃改任劉文泉恩源蓋財部屢興大獄腥羶之地實不敢居也十二月回津度歲文泉已通過國會兩次來津浼余任鹽務署長迫於私交不得已允暫時擔任以過陰歷年關爲度命下就職已迫歲除籌款六百四十萬元始得從容度歲近年貪風日熾每至年終發款財政部員司與各衙門領款者明目張膽爭論扣頭至

夜分未了本屆力除此弊隨到隨發毫無留難日暮公事已了黎總統告余曰除夕派人視財政部衙署闃然司員早同家度歲爲數年來所罕見傳沅叔曰本年除夕爆竹聲較多領款者懽聲載途此眞好氣象也然舊司員頗多不樂者蓋堂司朋比分肥已成慣例矣

癸亥五十六歲　余自丁巳離部迄今不過五年而財政迥非昔比國庫八九千萬之歲入悉化爲公債抵押品事事皆受掣肘人人各便私圖非具嚴厲精覈之手段不能澈底整理報館要求津貼不應則造謠攻擊議員要求差事不應則提案抨彈非非飲狂藥酌貪泉不能自立外度事勢內揣才力所

抱政策終難實行燈節後即請辭職政府僅允假一月假滿復辭府院不允時以選舉總統問題發生政潮旋有軍警索餉之舉余先有準備即日由鹽署發餉百萬事乃定然曹社聚謀魯難未已余力勸文泉同退辭呈上後文泉批准余獨慰留乃請假赴津嫁女未幾軍警索餉黃陂出走余亦堅臥不起當道屢託人勸駕至七月始准開缺蓋繫朝籍者半年任事不滿三月政海風高宦途日暮自知迂拙甘為病木沈舟矣稅務司安格聯上維持內債說帖欲以華府會議定之實行值百抽五新關稅改充金融等六項公債基金（此項新稅於民國十年呈准為九六公債基金）於是財部人員大譁謂安格聯名為維持金融公債實

破壞九六公債意在將新舊關餘一手把定九六公債不歸安氏保管非改作金融公債基金不能把持部員張心穀競仁著說力闢其謬而次長蘇慕東錫第則力袒安氏余請假赴津慕東遂提出於閣議遭閣員全體反對因之罷職遂以心穀爲次長局外人疑余袒張而排蘇不知余已知此中實含有政潮力勸慕東勿提而彼不悟也安格聯一手把定關餘操縱公債積貲數千萬國人漸悟其奸至十五年冬顧少川內閣始毅然免去安職頒解任時猶私挪四百萬存匯豐銀行迨財部查明劾治而安氏已遁逸海外矣自公債政策行金融界操縱財權頤指氣使猶憶前清時法紀嚴肅官商不敢公然交接有不知自愛者彈劾隨之清末此禁稍寬然匯豐買辦到部止坐茶房室候司官接見民國以來總次長始與銀行抗禮餽遺歆博視爲當然六年後銀行權力益尊總次長倒

屣傾衿仰伺鼻息銀行公會傳呼則奔走恐後憲綱掃地而

財政之弊亦不可窮詰矣余仍守舊日體制銀行以爲簡傲

西人亦重銀行特部體尊嚴非若我之冠履倒置耳嘗與稅司安格聯論濫發鈔票之害安日假如

甲手票十元用到乙手折成九元又到丙手變八元綏綏折

減並不專使一人受虧似不必慮余日此但就個人言之耳

假如濫發不兌現鈔市面不信用票價跌物價昂久之患籌

碼不足再增發愈發愈跌愈跌愈發久之將爲德之馬克而

國民破產矣安日君所言是理財正軌作十年計畫君觀現

政府心理能作永久計乎不如濫發一宗巨鈔使若輩分潤

姑爲目前計濫發之利現政府享之濫發之害後政府受之

君一年後亦未必在位何暇作十年計平安氏所言洞悉政
府心理可歎暉女於四月出閣婿爲秋浦周明恩緝之總長
之子也總統特給一等大綬寶光嘉禾章又給二等文虎章
甲子五十七歲　居天津六月二十二日爲景𤐃完婚娶趙氏
趙涴蓀之女趙劍秋盟兄之姪女本舊姻也七月江浙戰事
起蘇督齊撫萬直派也浙督盧子嘉皖派也上海鎮守使何
茂如盧系也自六年以後上海幾爲浙屬用人行政動生齟
齬烟土利益千萬悉歸浙有積忿已深迨警廳徐國樑被刺
形勢暴露政府銳意平浙力主用兵於是浙兵先入蘇境鏖
戰於崑山太倉宜興之間奉天張帥舉兵應浙吳子玉巡使

乃連兵二十萬與奉軍戰於榆關勝負未決而馮煥章玉祥自
張家口到京逍總統退位通電表示和平直軍後路既失勢
遂崩潰於是張馮兩帥公推段合肥入都執政北方軍事始
定南中則浙兵敗北盧帥出洋第一次戰事乃畢未幾齊督
免職奉軍南下又爲第二次戰爭江南各縣皆被兵災無錫
自陰歷臘月二十四日起焚掠十晝夜翰西十三弟以商團
力保危城至直軍潰敗軍事始了蓋臘尾年頭故鄉日在烽
火中也

乙丑五十八歲　正月接家鄉諸紳函電卽日入都與京中同
鄉組織兵災善後會謁段執政請求內務部分撥振款本邑

免攤軍餉均允飭知照行又以奉兵久駐無錫鄉村比戶逃亡恐誤蠶期乃公電張帥雨亭盧帥子嘉力請撤兵卒達目的鄉民均還家育蠶時局粗定余乃返津段執政出山後爲左右所包圍望實頓減又以金佛郎案大受攻擊（金佛郎案損失至巨議員報館校長羣起分肥政府獨尸其咎余在部時始終反對頗受報界攻擊與安格聯之公債皆爲怨府）奉天張帥欲擴勢力於東南乃以李芳辰（景林）督直張效坤（宗昌）督魯以鄭鳴之（謙）爲江蘇省長楊麟閣（宇霆）爲江蘇督辦九月浙帥孫馨遠（傳芳）舉兵討奉直取南京楊鄭出走魯兵又大敗於徐州於是東南五省皆歸孫統轄戰事漸移而北吳子玉起於鄂各軍奉爲盟主馮煥章初與吳孫聯絡皆以驅奉爲名所統者爲國民軍徑攻天津李芳

辰拒之鏖戰於楊村北倉間歷十五晝夜李始潰退國民軍入津以孫禹行岳爲督辦兼省長事稍定未幾北京學生工黨及無賴遊民揭赤色旗游行都市圍政府驅閣員燒報館京師秩序大亂各國公使牒馮詰問乃令警廳取締吳子玉以討赤化爲名轉與奉合鄂軍入豫奉軍入關李景林又收合舊部與張宗昌聯兵攻直大局又入於紛亂矣近年吾國漸染蘇俄赤化盛倡共產主義於是無業游民藉此組織工會到處演說以推翻資本家爲目標實則聚衆斂財收捐款以飽私囊而已工人無知易受煽惑少數桀黠者起而附和多數良懦者不敢抗違津滬等處遂屢釀燬廠罷工之舉涓

涓不塞將成江河設有蹻跖巢闖之徒利用學說實行共產則天下之大亂起矣十二月二十四日爲兒娶壽州孫氏文正公之胞姪孫女韻生刺史傳栻之女履安監督多禔之妹也孫氏三代深交故訂此姻余以兵阻不克歸託翰弟代表主婚在上海成禮

丙寅五十九歲　自去臘以來國軍與直魯聯軍血戰於滄景之間鄂軍平定河南近逼保定奉軍入關取灤州國民軍四面受敵勢不支乃於正月杪撤兵退守北京旋派兵圍執政府國務院段芝泉偕閣員避居東交民巷都中惶亂聯軍進攻灤戰兩旬國軍知不能敵乃退守南口爲負嵎計當退兵

之時紀律甚嚴秋毫不擾吳子玉託遲程九（雲鵬）贈余小影二
對聯一邀余入幕覆函請其聯合國軍張（之江）鹿（鍾麟）二部來京
開會議勿堅持護憲先推定總統組織內閣劃北京為緩衝
地但設警不駐兵撫恤直魯戰地災民以子玉聲望果以第
三者資格出而調停戰事主持大局可以執牛耳而為盟主
惜未能用仍赴前敵督師力攻張家口越一月破之國軍甫
退而民軍已取岳州而窺武漢矣子玉回師武昌大勢已去
累戰累北退守河南此春夏間事也至七月間南軍遂進攻
江西孫馨遠鏖戰兩月至九月九江兵潰勢亦不支矣余以
八月初挈內子及倩兒昉女回里中秋後移居五福街新居

在舊宅之西題曰雲薖別墅擅水石之勝因內室尚未建築眷屬暫居裘學樓此次歸里不問地方公事與諸戚友流連觴咏放浪湖山遊子歸故鄉頗多樂趣十年中最愉適之日也

丁卯六十歲　𡐓兒夫婦由北京來燧兒夫婦由上海來爲余稱觴余堅拒不允兒輩力請始允於立春日設筵接待親友壽儀一槪璧謝惟以詩文投贈者不能拒却共收壽屏八堂內以寒山稊園蟄園栩樓諸社友所贈駢文壽屏爲最佳陳弢菴太傅授意丁闇公譔文樂旨潘詞一時無兩元宵後聞軍事消息日亟乃以正月二十一日偕內子挈𡐓兒萱媳煇

兒昉女北上抵寧後卽渡江登津浦火車二十三日安抵津門旋聞皖軍獨立津浦中斷使遲二日啟行沿途必多阻礙矣民軍由贛攻浙由浙窺蘇先佔上海直取南京直奉軍節節潰退江南郡縣望風歸附孫馨遠退駐徐州民軍乘勝北伐與孫軍血戰三晝夜民軍敗退孫軍遂進窺江北兩軍晝江而守相持數月馮煥章一軍由陝取豫進窺隴海鐵路與孫軍鏖戰旬餘軍力兩疲何應欽軍乘虛直取徐州北軍退入魯境於是江蘇全境悉歸南軍掌握矣嬿兒於八月間赴美留學十一月長孫世紱生嬿兒所出也

自訂年譜二卷自同治戊辰年起至民國丁卯年止首尾

六十年世運之平陂國事之治亂一身之升沉顯晦悉具其中矣滄流東逝晷景西馳追念平生如夢如幻今歲皈依道院托趣幽玄悟露電之如如感風雲之擾擾非但無仕宦功名之想並不願落語言文字之詮故吾之年譜即以是年爲止付兒輩寫錄聊備覽觀丁卯除夕苓泉居士自記

歸庭隅錄

辛巳仲春

壺公

趨庭隅錄序

北齊顏黃門著顏氏家訓序稱非敢軌物範世業以整齊門內提撕子孫淳熙時沈揆謂此書本諸孝弟推以事君上處朋友鄉黨之間自當啓悟來世旨哉言乎夫士君子嘉言懿行後人筆之於書不如自道之親切有味然體例雖不同而其揚芬述德昭示來茲者則無不同此趨庭隅錄之作之所繇昉也吾邑楊味雲先生世有令德望重海內本家訓爲官箴以經術飾吏治歇歷中外垂三十年哲嗣景烓景熥景⿰火青隨侍親闈耳提面命本其平日之所聞見者隨筆纂錄得若干條定名曰趨庭隅錄先生之言行事功於斯得略闚涯涘矣前清沿歷代官制以

戶部掌邦計凡田賦漕粮鹽課關稅釐金幣制諸事咸隸之職
務最爲繁劇光緒丙午重定度支部官制尚書侍郎以下增設
丞參廳左右丞二左右參議二秩視三四品京卿各司公事先
送丞參廳核定丞參畫諾然後呈堂機要奏牘皆參議主稿大
事則尚侍召集丞參會議施行全部要政以丞參廳爲總匯之
區宣統初籌備立憲設清理財政處簡派正副監理官分駐各
省調查實行預算提陋規剔中飽裁冗濫核名實全國財賦之
籍始總於度支全部新政以財政處爲發源之地先生由農工
商部郎調度支部丞參上行走旋實授參議又奏派清理財政
處總辦身兼兩要職遇事犀分鏡照剖決如流上而長官下而

寅僚皆同聲推重顧平日斂抑勤愼不願居赫赫名遠權勢杜苞苴與疆吏罕通竿牘雖總攬事權未嘗爲人指目所訂法制至民國時猶守爲成規所拔人材至民國時仍分布要職故當時推爲財政專家厥後歷官長蘆鹽運使山東財政廳長兩佐計部聲績焯然五十後謝政偕秋浦周緝之總長於天津等處創設華新紗廠旋代棉業督辦講求工藝改良棉種爲華北棉業之先河晚歲耽心文史寄興詩歌與名流相唱酬團扇屏風爭相傳寫所著雲在山房類稿流播藝林綜其生平實有古名臣識量阨於時勢未竟厥施晚而爲文苑傳中人非其志也哲嗣景熾景燧景熔通籍最高學府工商法律學有專門皆守羔

羊素絲之風絕無纖毫時下習氣識者謂得力於趨庭之教爲多茲者景㙺昆仲欲將此書梓行問世屬爲弁言國鳳於先生相契較深親炙日久雖不文又奚敢辭謹就平時目覩耳聞者撮舉大端爲當世告後之讀此書者可灼然賢昆仲家學淵源而先生立德立功立言之盛業亦得窺見一斑豈第如顏氏家訓所謂整齊門內提撕子孫而已哉許國鳳謹撰於並蒂蓮花館

趨庭隅錄　　楊景熥熣焇謹輯

景熣等生也晚於　家嚴平生行誼蒙昧不能盡知第於趨庭之日習聞彝訓又得之父執所稱述敬謹輯錄得若干條聊比於柳氏之家箴顏氏之庭誥而已

公幼受詩學於　先祖妣張太夫人七八歲時卽能誦楚詞唐詩十一歲詠風箏日莫道常偕童子戲青雲得路獨登仙識者知其不凡

先祖資政公晚年患脾泄病中益數每夕必五六起　公侍寢於旁衣不解帶微有聲息卽驚而寤　資政公將泄以兩手抱公項承之以肩徐徐扶起掖登廁具既畢又掖而登榻襦袴

臭穢滌除潔淨病亟不能起則移啟手足進器承之病兩月餘
公未嘗一夕安寢　資政公每嘆曰有子如此吾死奚憾願
他日子孫事汝猶汝之事我也
資政公既沒　家慈盡出奩金並典質釵珥以治喪　公分遺
產之四爲　庶祖母膳費及諸姑母嫁費爲文祭告　先靈族
黨皆嘆服　先伯祖京卿公嘗以三千金爲　資政公醫藥費
至是全數繳還曰先人既沒不忍留也
公少擅文譽才藻冠時弱冠後入都舉京兆試歷爲翁文恭公
孫文正公許恭慎公徐壽蘅尚書所賞識然不願以文人自命
光緒甲午乙未間留京師值中東戰役　公感憤時事慨然有

焚硯投觚之志遂棄科舉年甫二十八也歸里後鍵戶下帷一意治經世學尤長於財政凡田賦鹽漕幣制農田水利諸政博綜條貫蠅頭細書手錄至數十萬言異日用世之略基於此矣

公淡於榮利棄科舉後閉戶讀書得內閣中書假歸不出庚子辛丑間　先伯祖京卿公官長蘆運使時八國聯軍分駐京津畿輔墮地幕僚星散形勢孤危　公千里赴難始奉　京卿公命敦迫入官在內閣兩年考入商部遂以勤敏受知於長官越次遷擢又隨使東西各國南洋各島自是聲譽翔起六年而至京卿民國以來敭歷中外洊至卿貳每至內閣改組財政一席衆論推重始終不就蓋自知不能隨時俯仰也

公在商部以才識精敏爲寮寀所推服四司重要案件無不記憶遇事剖斷如流歷充商務司農務司幫稿庶務司幫印工務司主稿商律館纂修商標局會辦公司註册局總辦部中要政無不參預已酉春將奏派在丞參上行走而度支部奏調在先遂不果

中國數千年來財政向無預算決算全國歲出入漫無統計報部歲入僅九千餘萬兩　公總辦清理財政後始採用歐西新法參以中國舊章創爲預算決算章奏法規皆手自草定宣四歲入遂增至三萬萬兩合四萬五千萬元鼎革以後財政紊亂猶賴清理處案牘得以按籍而稽至今奉爲程式

公任度支部參議爲尙書澤公侍郎紹公英陳公邦瑞所倚重

辛亥春長蘆運使出缺樞府進單　公名開列在前命下則簡

放劉年丈鍾琳事後始知爲尙侍召見時所奏留也時澤公爲

監國信任將爲內閣總理密保紹公陞尙書　公陞侍郎並賻

宅邸旁令　公移住備朝夕顧問因國變未果

公於淸理財政稽核雖嚴仍力持大體光緒末年法紀廢弛外

銷之款督撫視爲私財以之交結朝貴收攬報館政客軍需善

後支應各局皆用私人任意支銷臨去則焚燬案牘漫無稽考

公奏請裁撤各局統歸藩司稽核財政統一積弊遂除各省

編制預算歲入多隱漏歲出多浮濫部員皆主嚴核　公曰水

至清則無魚姑爲疆吏留餘地俟會計法施行自就軌範矣又以外官費用較廣故於督撫司道廉俸外皆優給辦公津貼歲三四百萬兩尙侍疑其濫　公曰此在清出外銷款中僅提百分之一二耳既謂之養廉矣必使所入足以養而後可責其廉卒如議地方經費則准督撫批准自由動用但須列入決算以杜浮冒農工商部預算裁減河工經費　公曰河工本叢弊之藪驟加裁減恐生意外上級之陋規可裁下級之冗費不可遽裁國家何吝此十數萬金不爲末弁微員留生計楊侍郎士琦嘆爲名言　公每謂筦財政者須知大體天下之財宜流通不宜壅滯取之有制用之得宜操利權以奔走天下使智者盡其

能勇者盡其力羣才鼓舞百事皆舉若夫銖積寸累斤斤於錢穀出內自詡精明一筦庫之吏而已

宣統朝預備立憲政費驟增各省皆以新增之練兵教育司法費列入預算冊視度支部如何措置裁之則是阻格新政仍之則不敷一萬萬餘元如何籌補朝野皆知事體之爲難　公不敢昌言裁減乃倡議正冊之外另編副冊將新政費悉歸入副冊於是正冊收支適合交資政院議決預算遂以成立復行文督撫副冊各項新政速籌的款舉辦各省乃以籌款爲難奏請緩行而度支部不任其責　公發謀定策解決疑難多類此故爲長官所倚重蓋自宣四預算成立財政漸上軌道惜逢鼎革

未及實行或謂宜借預備立憲題目提出加稅案於資政院

公曰現在會計法未定內外用財無藝以商民之膏血供官吏之侵漁吾不忍爲凡各省提議增稅均予駁斥清出外銷款項部庫不提取一文故疆吏無一語抗爭臺諫亦無一疏彈射

宣三預算不敷至一萬萬餘元部員欲痛裁冗濫　公曰法宜先行宣布使朝野皆知財政之困難則裁減時可免掣肘乃列入冊中而密商資政院由財政股議員核減暗中仍由部主持故所裁者皆實係冗費又知外省收款尚多隱匿乃令行各省日預算之外欲增加支出者必先籌定的款報部核准否則以違法論此令行而隱匿之款亦次第托出矣當是時中央威信

未替度支部用法嚴明又得監理官之報告設施皆得要領故

各省凜凜奉法　公自言在度支部三年山東兩年意氣最爲

發舒民五後形格勢禁一事不能辦矣嘗上說帖於長官曰請

以清理全權見畀限期六年竣事約計歲入可增至五萬萬元

以後於關鹽田釐等稅加意整頓十年中不難增至七萬萬元

然後年以五萬萬爲經常軍費政費以一萬萬提倡實業一萬

萬擴充武備誠得廉明宏毅之大臣總攬全權任良吏以理財

任賢將以練兵行之二十年可以富強國有大事或加稅或募

債以補充之立憲各國財政所以伸縮自如者由平日全盤在

握措注得宜也

長蘆鹽課科目繁碎銀數畸零平色高下吏緣爲奸部令改兩爲元衆謂津市藉鹽款爲通輸用銀已久不易變革　公乃歸併科目改爲一條鞭令銀行逐日報告銀市每日定一中價懸牌曉示商以鈔幣繳納銀行派員到署會同收課每日所收即交國庫吏無侵蝕之弊商無核算之煩市不擾而課增一年後習慣用元遂廢銀價初長蘆課稅不滿七百萬　公擴場產疏銷路除弊竇一年之中遂增至九百萬

民國四年財政部呈明考核各省財政成績列山東爲第一於是各省皆派員至山東考察財政以爲模範計兩年中除經常歲出入外解部千數百萬彌補以前虧空百餘萬去任時庫中

尙積存百萬故論山東財政者以此兩年爲最盛時代巡按使

蔡公儒楷亦傾心委任考績第一應得褒獎　公力辭而推功

巡按使蔡公遂拜一等動章之錫各報盛傳財政廳保巡按使

蓋指此也

時議辦濮陽河工畝捐登萊等九縣甫經兵災紳民電籲政府

邀免項城總統面詢　公對曰此爲全省通行之案一處豁免

則全省沮格矣請照章徵收仍將該九縣畝捐全數截留撥充

本縣賑款紳民大歡項城嘉嘆以爲深明政體也

民國五年春東南各省雲擾山東尙晏然無事也　公一日出

片紙派員赴各銀行籌借四十萬元時庫中尙積存數十萬幕

僚交阻　公笑而不答四月民軍驟起圍攻省城官紳有倡獨
立者會議於軍署　公力爭曰山東綰轂南北獨立後恐將牽
入別項問題且張倪兩帥必返戈北指魯將受兵矣靳將軍躚
之曰君能籌餉六十萬城乃可守　公曰誠如是軍餉惟某是
問議乃定圍城月餘籌餉籌防從容應付幕僚始服　公逺識
知春間借款實係大局安危也時山東獨立風聲頗盛張倪兩
帥派陶君文泉來告已奉密令整軍待變　公極力辨白並代
部撥張軍餉十三萬以示從容魯遂無事曲突徙薪之功衆不
知也
民國五年四月中交兩行停兌鈔票各處人心洶洶山東亦奉

停兌之電　公閱後置之懷中謂軍民兩長曰戰事方亟發餉皆用鈔票此電一出則市面搖動軍心立渙矣遂會電政府請暫緩施行復電允准越兩日風聲漸播商民恐慌商會長來謁力陳停兌之危險　公從容出電示之令登報宣布人心遂定時京津滬漢等處因停兌而起風潮市面岌岌魯獨晏然當時少涉張皇則大局危矣

民國初政府厲行驗契　公曰督責愈嚴則隱匿愈多矣時稅率原定百分之五　公呈准減爲百分之三逾二月則增爲百分之四逾四月始爲百分之五於是民間爭先投驗計山東契稅前後共收六百餘萬爲各省最　公籌款方法每用欲取姑

與之術又力戒瑣屑煩擾故吏不疲而民不怨
政府募四年公債山東派額八十萬　公祗允五十萬梁總裁
士詒曰楊君清剛不必強派然所認者必有贏無絀時山東方
募地方公債　公卽改爲中央公債曰吾不忍重累吾民出示
曉諭商民感奮不一月而募集七十五萬各省方開募而山東
款已解清且溢額一半遂得優獎　公語僚屬曰吾若認八十
萬則此數猶爲短解今只認五十萬則長解二十餘萬矣各省
皆解不及額溢額者惟山東一省而已
公在魯時待屬官尤加禮每曰吾　先祖名宦公以名進士宰
山左衙參歸輒悒悒不自得小子何人敢自肆於同僚之上故

外縣知事上謁者必延入書齋深諮利病初蒞任時派幹員十人密至各縣調查凡財政警政教育實業農田水利物產以及民情風俗列表詳記編訂成書故論及各地方事宜洞若燭照皆是書之力也

公每謂圓滑巧佞之人不能成事所用之人皆樸誠廉幹歷任財政要職屬吏無絲毫虧空民國初吏治廢弛山東州縣虧帑數十萬甚有交代不清携款逃逸者　公分別情節實系因公虧累無力完繳且在革命前者呈請豁免無可原者則風行雷厲依法押追各縣征收之款限期解庫交代案稽核尤嚴嘗曰與其痛懲於事後不若嚴督於事前各知事惴惴奉法積弊一

清終公任鮮有以壘敢者

公理財政策重在制節謹度綜核名實不輕言借債在度支部時各省議借內外債非有特別事均予駁斥嘗曰吾任財政多年未嘗在債款合同上簽一字可告無罪於國民矣民六後以借債爲第一等政策能借債爲第一等人才 公私憂竊嘆絕口不談財政蓋自傷政見與時枘鑿也每謂各國以公債補助財政吾國則以公債破壞財政曩使西時法國財政家朋克博士爲余言凡國家濫發公債不啻以財政交托銀行政府失均衡調節之權銀行本以營利爲前提政府爲銀行所左右弊將不可窮詰真名言也

自民國六年後政府施行公債政策國庫歲入悉移充抵押品又以稅務司安格聯保管基金於是財政金融之命脈悉操縱於外人筦財政者必仰稅司鼻息先是美國華府會議允中國關稅實行值百抽五歲可增千餘萬兩安氏忽上說帖欲改作金融公債基金　公持不可日安氏陽托整理之名陰行壟斷之實移甲就乙欲爲一網打盡計耳（新關餘及鹽餘月收三百餘萬勉支政費移交安氏則財部束手矣）吾不能遏其流安可揚其燄乎時安氏之勢方張其黨運動各報攻訐誣　公破壞公債後來者迫於衆議竟將說帖通過新舊關餘遂歸安氏把持國人始悟其奸羣起反對政府乃將安氏斥退而財政已不可爲矣　公於此案及金佛郎案皆不避疑謗堅

持到底事後亦未嘗自明

公於民國六年春任財政次長時總長爲李總理經羲兼任因病未到部務由　公代理國庫歲入尚有八千餘萬而歲出則爲一萬萬　公精心綜覈裁汰冗濫另立預算簡明表使收支相抵又擬籌還內外債及整頓幣制鈔票辦法規畫甫定旋遘復辟之變十一年復佐計政則公私赤立庫儲如洗　公於歲杪就職籌款六百餘萬從容度歲正月即具呈辭職政府堅留予假一月假滿敦迫再出時朝論哤雜政黨紛紜局勢將變乃要劉文泉總長同辭雖政府屢次挽留終不肯出嘗語人曰吾所研究者中國歷史之財政所考察者立憲各國之財政民六

後國用無藝主計者移挪假貸破常軌以便其私吾所抱政策
決不能行且素性戇拙不肯隨人俯仰孤立於上徒叢謗怨耳
公以鹽務署長兼稽核所總辦英人威爾敦爲會辦時鹽政之
權已旁落於外人惟　公明練鹺務遇事侃侃力持正義威氏
亦爲心折每語人曰吾在中國二十餘年所見大員多矣民國
以來吏治日非其操守廉潔事理明白猶有前清大員風格者
楊署長一人而已
公當民國初爲項城總統所賞然不肯詭隨附和洪憲時代項
城欲召　公內用令人示意遜辭婉謝蓋不願參與帝制也
公嘗言項城才力可以宰制海內惜晚節不終民六以後主權

凌替國事日非內而國會囂張外而軍閥驕横鑒於事勢始終不肯入閣十一年冬內閣改組財長一席已內定矣而公謁告南歸遲遲不至乃易人十二年夏財長缺席當局屢次勸駕堅臥不出蓋不願居高位以速官謗也民國以來財部屢興大獄公歷掌計政不墮政潮不罣吏議論者以爲難

公官京朝時以章奏擅名農工商部度支部重要奏牘大抵爲公所撰擬奏摺二百餘件舊錄稿本於庚申年被燬今集中僅存十首轉從他處採錄皆經世文也公每言生平自幕府以至郎曹擅長實在章奏蓋詩文可縱筆揮灑倚馬萬言章奏則關繫國計利病民生休戚必須深明政要不矜才不使氣字

字秤過切理饜心當日頗爲同官推重今則知此道者鮮矣

辛亥冬國事日亟度支部丞參四人辭職者三　公曰清室一

日不亡吾當盡一日之責仍照常辦公是時籌撥餉糈事繁責

重　公以一身措拄部務者兩月至遜位詔將下始先一日請

假出都丁巳復辟　公方臥病部員就商進止　公曰財部繫

軍警餉源曹司一散都下人心搖動秩序將紊我輩事務官但

知爲國家辦事政體變革非所知也蓋　公每遇危疑之交毅

然負責以大局安危爲重一身毀譽爲輕嘗語景逵等曰仕途

升沉顯晦蓋有命焉吾於宣統末年聲望漸隆跬步臺閣而清

室遽亡項城末年指顧封疆而項城遽卒丁巳以後時事日非

吾拙於逢迎結納未嘗借軍閥爲後盾政黨爲護符流行坎止惟抱定義命二字所以進退從容身心坦蕩也

丁巳復辟　公先密言於張定武曰周鼎雖遷虞賓在位視唐宋明末造結局如何必欲行此亦不宜倉卒張疑　公反對然猶奉旨授爲度支部左侍郎重夙望也事後人目　公爲復辟派　公曰吾在民國已歷任要職何敢忝冒此名但耿耿寸心不能無舊國舊君之感耳

公官鹽務處時辦某案長蘆鹽商密獻萬金　公却之曰此案爲國課民食應核准若受賄則私矣曰此事出蘆商誠意決不洩　公曰此吾祖太尉公所以凜四知之戒也卒不受此事

公未嘗告人惟　家慈略知端緒問某商姓名終不答　公平

生以清節自矢處脂膏而不潤此一端也　公每言居官以操

守爲主操守一墮才識皆誤用矣

前清光緒壬寅　先伯祖京卿公由長蘆運使奉旨督辦順直

紡織以病歸未及舉辦越十年而　公繼任長蘆運使又五年

遂偕周緝之總長創辦華新紗廠旋代棉業督辦自是北方棉

業浡興卒成先志

公繼周緝之姻伯爲全國棉業督辦皆以綜覈名實爲政策財

部撥華新紗廠官股八十萬元爲棉業處經費年收股息皆以

提倡棉業任職八年不受薪俸迨十八年交卸時官股八十萬

均繳還財部又於節省政費項下購存紗廠股票三十餘萬元
助同民教育費此皆歷年積存稍事浮濫卽化爲烏有矣
公精於心計進則爲財政家退則爲實業家嘗日吾生平無他
長但以實心行實事而已所辦實業如華新津唐衞三紗廠皆
受任於風雨飄搖之中一經擘畫卽蒸蒸日上任實業銀行協
理時身當危局力挽狂瀾事定後卽翛然引退此皆人所共見
共知者也然困難時人人傾心推重發達後人人攘臂競爭
公功成引退絕不稍事委蛇迨他人辦理失敗亦不反唇相譏
仍爲設法補救用人則推心委任俾展所長或有受恩攜貳者
亦絕不介意日翻雲覆雨利盡交疏本世人常態每笑翟公榜

門猶不免世俗之見

公外和內介交友不分黨派黎黃陂張定武政見相歧皆與公交誼甚摯徐總統有師生之誼馮華甫總統段芝泉執政王聘卿總理皆通家之好意氣相孚而未嘗攀援求進故屢經政變不入黨潮又誡景瑩等曰處此世界安能得多數正士賢人與之共事但盡其在我而已人以詐來我以誠示之人以怨至我以直報之久之則人人恕我我戇而諒我愚不以逆億之心相待故居官不罹法網涉世不蹈危機彼矜小慧逞陰謀者必致人人防忌得時似虎失意如鼷何若我有掉臂游行之樂哉

公以乙巳丙午赴東西洋各國考察政治丁未赴南洋各島撫

尉華僑姚柳屏年丈嘗贈聯曰繞地球而東一週踰赤道以南七度溯自上海放洋迎日晷而東至日本渡東西太平洋歷歐美非三洲泛紅海印度洋而歸是爲繞地球一週南洋爪哇在赤道以南近澳洲境蓋足跡已歷五大洲矣所著星軺雜記海南風土記庚申京寓失慎稿本燼焉僅存政治叢書提要六篇考察南洋華僑奏疏一首編入文集

公隨使英京時忽奉電諭某御史參同行兩星使持節無狀見陸文愼公寶忠年譜命澤公查辦澤公令　公擬電據實奏覆　公婉諫曰此事有玷官箴亦關國體奏到日朝廷不能不予處分四裔傳聞有失中朝威望且國書中列三欽使名若覲見英皇祗一人如

何措詞澤公韙之乃令　公擬電時卽申明此意請俟詳實查

明覆命時面奏兩星使遂得保全朝廷亦以澤公此舉深知大

體遂有大用之意

乙巳歲　公隨五大臣出洋考察政治以二等參贊兼總文案

歷日本美歐各國丙午六月回京上籲請立憲摺編書三十種

撰提要進呈御覽七月下詔立憲派澤公及各部尚書南北洋

大臣釐訂官制奏調　公隨同編纂袁項城議裁都察院　公

往復力爭又密陳澤公及壽州相國交阻之得不廢時同編纂

者皆一時名碩館設海淀朗潤園世所稱爲朗潤園官制者也

自是　公之聲望駸駸日起矣

澤公故後債務累累居第亦抵押與人孤兒寡婦爲債戶所逼
勢將破產　公旣厚賻其喪復邀熊秉三年丈楊芰青世丈及
舊日寅僚設澤府善後維持會向銀行擔借巨款贖回居第處
分遺產俾孤寡得以存活又房師豫建侯先生早卒賙恤其家
歷五十年不倦南中田產收入盡以贍助親族胞姑母七人出
嫁時裝奩菲薄　公每引以爲憾晚年乃提私產二萬餘元各
贈三千元以敦手足之誼嘗以私財萬元購市房一所歲收租
金以卹近房之孤寡每誦　先祖遺訓曰以父母之心爲心則
兄弟吾一體也以祖宗之心爲心則宗族吾一體也以天地之
心爲心則四海之人皆吾一體也生平恥言稱貸而人有求者

無不應篋中債劵纍纍晚年悉焚之曰甯人負我毋我負人

公生平居鄉里間謙和退讓雖生長世族未嘗倚勢凌人甲寅歲購宅基於映山河侯氏之廢園也其族中爭地涉訟久不解公慨然曰因我購產使人破家於心何安吾甯受紿不忍觀釁乃讓還地三分之一仍給原價以平其爭嘗誦宋楊玢詩曰他人侵我且從伊仔細思量未有時試上含元殿基望秋風秋草正離離謂具此胸襟天寛地闊吾以忠厚貽子孫所失者少所得者多矣

公生平手不釋卷每謂讀經當通精義讀史當觀大事 景[illegible]等

留學美國 公每旬必寄一書每次必數百言凡古今人之賢

好世之治亂事之成敗審幾之智應變之才及昔賢之嘉言懿行可師可法者咸在焉景煃等敬謹裒錄寶爲家訓其教子孫也先獎誘而後督責每謂倫常中自有至樂吾循循然範之以禮法廸之以詩書使遷善改過而不自知一門之內盎然和氣爲祥風甘雨不爲烈日嚴霜也

公久居北方不忘鄉土嘗諭景煃等曰士大夫宦成後往往僑寓異地於平生桑梓之鄉先世松楸之舍無復繫念余殊不以爲然近歲於故鄉置宅一區買田三頃非爲問舍求田計也亦願汝輩有田園廬墓之可戀不忍輕去其鄉耳

公少年文藻冠時族伯範甫先生評曰作者所爲詩文鮮若荷

露清若梅雪朗若秋月艷若春花同輩中吾見亦罕然吾輩事業自有大者達者若但以文人自命非吾所望於君也　公自是一意講經世學厥後遊幕府登郎曹兩涉瀛海登覽投贈不乏之篇什藏諸篋衍不以示人庚申冬京寓失慎全稿燼焉許彝定顧涵若二丈搜羅編輯爲思冲齋文鈔二卷思冲齋文別鈔二卷思冲齋駢文二卷思冲齋詩鈔二卷鴦摩館詞二卷鉢社偶存一卷又　公所手輯者曰雲薖漫錄二卷覺花寮雜記四卷藏盦幸草一卷雲薖詩話一卷貫華叢錄一卷均付景達等寫定總名曰雲在山房類稿考察政治手編之書曰英國憲法正文曰英國財政史曰法國國債史曰日俄戰時財政史曰日

本關稅制度日日本中央銀行制度日日本國債史日法國司
法制度日比利時司法制度日比利時財政史略凡十種均咨
送憲政編查館家藏稿本已燬僅存提要五首刻入文集晚年
與陳弢庵樊樊山易實甫郭春榆丁闇公諸老結社倡酬始以
詩文名世然亦隨手散失罔自董理故所存僅此云辛未秋
公憂時感事成秋草四律一時傳誦南北名流和者百餘家編
爲秋草倡和集江西詩人楊昀谷呼爲楊秋草題齋額以贈
公自言六十歲後勘破名利關七十歲後勘破生死關晚年杜
門謝客焚香靜坐庭宇蕭然每晨溫四書或五經一卷午後誦
金剛經一卷餘則隨意瀏覽典籍興之所至吟詩讀畫純任自

然自撰聯曰心如止水澄清自覺胸中無妄念事共浮雲消散
始知身外盡虛名七十歲後即將家事交付景𡍩等手訂遺令
纖悉周備　家慈逝後親友勸置簉以侍起居　公不允曰吾
夫婦愛情專壹旁無妾媵故家庭雍睦無閒言今年逾古稀何
忍再破此戒貽子孫之累也
公由前清光緒辛卯舉人歷官內閣中書商部保惠司主事農
工商部工務司員外郎度支部承政廳郎中右參議左參議歷
充商部保惠司幫掌印上行走平均司幫主稿庶務司幫掌印
農工商部工務司主稿商律館纂修商標局會辦公司註冊局
總辦度支部丞參上行走清理財政處總辦鹽政院奉直廳參

事隨使各國考察政治二等參贊兼總文案崇陵監修官欽派
恭謁東陵大臣丁巳復辟授度支部左侍郎署尚書民國歷官
長蘆鹽運使粵海關監督山東財政廳長吉林財政廳長兩任
財政部次長兼鹽務署署長鹽務稽核總所總辦無錫商埠督
辦代全國棉業督辦歷充總統府顧問參議院議員
家慈爲同邑顧氏外祖父 達孚公之次女也生長豪宗而以
勤儉爲閨範無珠玉紈綺之好 先祖父資政公棄養 家慈
盡出奩金庀治喪葬 家嚴深感此事故終身不置妾媵又勸
家嚴分遺產之四爲 庶祖母膳費及諸姑母閨費曰如此
則人人愛惜私財自知節約所留之六得以施吾綜覈之術矣

於是羣情悅服家務處理井然歲費幾省其半　家嚴弱冠後即出游幕府旋官京曹當寒素時得無內顧憂者皆　家慈之助也厥後隨宦長蘆山東儉約如治家時署中公用亦不肯浪費景煃景熥年十三四回南應校試　家慈各予布袍一襲曰勿令鄉黨中笑汝爲紈絝也景煃等授室後家事有所付託而蔬食布裙操作不改常度每日習勞所以養生惜財所以養福與　家嚴白首相莊家庭雝肅卒於戊寅年四月初一日年七十一歲生平懿德淑行具詳於　家嚴所撰事略汪仲虎年丈題其後日夫人生席華膴嬪於名門封至二品產至千金年至七旬夫婦耆壽子孫衆多臥病十日坦然而逝有白頭夫婿嘗奠

嘗齋在閨闈中可稱全福矣

楊味雲先生創興棉業記

顧潛 沅芍

中國紡織一門以無錫楊氏爲先河而以楊公味雲爲魁宿當世之稱公者或以爲財政家或以爲文學家至其創興實業精心果力成竹在胸則非局中人不能知也公於五十歲後淡於政治專事實業尤注力於紡織蓋自少年時從世父藕舫觀察創辦無錫業勤紗廠內地之有紗廠自業勤始迨世父藝芳京卿陳臬山西督辦絳州紡織廠規畫建築訂購機械公在撫幕實參與之及官京師目覩北方民風呰窳生計日艱居恆私議欲北方之民無饑莫如興農田欲北方之民無寒莫如興紡織光緒壬寅草北洋興辦紡織議上諸當道未幾世父京卿公由

長蘆運使擢三品京堂督辦順直紡織以病歸未及舉辦越十五年公始偕建德周緝之總長創設華新紗廠於天津推及唐山衞輝等處旋代棉業督辦數年之間天津紗廠成立者六家晉豫遼魯相繼而起北方棉業蒸蒸日上蓋距創議時已二十年矣華新四廠發軔於天津其工作之精良營業之發展不過用得其人耳至識見之遠詣力之堅心手之敏有非常人可及者戊午秋間華新將開公採用包工制者於此業者謂是上海之粃政力阻之公持之甚堅日北方無工必招之南方零星招集曠時耗費而員司多半生手兵將不相習紡車不易開齊今紗市方佳利在速成用包工制彼承包者利害切身款不多靡

工皆得力且論包計費彼自前驅無庸鞭策果爾自招工至開機不逾兩月時正銷暢價高年終結算已盈巨萬至包工者財力不給則稱貸而裁抑之漸以親信參加工務撫循匠目訓練藝徒南來工人日漸淘汰一年後包工者知難而自退酬而遣之公慨然曰吾經營此廠精心獨運布置至此方告成功蓋包工制明知毒劑急於成立用之以赴時機使盤踞根深但知結集私黨而不妙選良材但求出數增多而不保全機械不及十年此廠墮矣是其一縱一操之心力爲何如乎後兩年中棉業鼎盛各處新廠風起雲湧人勸律廠添機公曰此業盛極將衰矣今連年獲利股本業已收回吾爲股東計甯保守固有期諸

永久果未逾年紗業大絀或半途廢棄或折閱停頓卽幸存者已爲債權人束縛股東本利悉付子虛益嘆公見地之高所以頻年天災人禍影響於棉業者創巨痛深獨華新保持穩固南方惟無錫廣勤利市三倍公弟翰西所創立亦自公發其端南北兩廠對峙乃見楊氏之有家學淵源也華新各廠於天津設總務處公綜其成而唐衞兩廠亦無不賴公擘畫成效始彰棉業處則每年購美棉種分發各省改良逮及滇桂盛矣抑更有進者人第見公今日名利兼收不知其接手之初不特無名利心且犧牲名利而來蓋迫於公義私情不得不出而肩任毋暇計及利害外則空穴來風內則捉襟見肘人才旣極缺乏金融

亦甚困難商股祗湊合五十萬元招股無應者比獲利後方紛紛投資幸而天人交助無負苦心而入手之初適丁厄運不幸失敗必至破家公毅然擔任者蓋自信有素也是以前數點尙在商業範圍中此則道德問題知之者鮮矣北方棉業既盛皆推公爲先進溯其成功厥有三策一定包功制二設大同銀號吸收他公司資金爲活本三組興華資本團成紡織大團體第一策已如上所述大同立而金融活動一年中紗廠銀號同獲巨利此第二策之效也開辦時商股不足五十萬厥後四廠股本幾達千萬此第三策之效也以爲紡織係世界大工業際此商戰時代非結合團體不能與外人抗衡於是倡設棉業公會

執北方紡織之牛耳即滬漢等處亦遇事諮度焉首是瞻公自
謂扼於時勢不能效用於國家退當盡力於社會蓋以財政之
眼光手腕移諸實業而道德之純潔操守之清嚴尤爲人所信
服當民國之初北方無一機一錠棉花出口年僅十數萬元迨
華新津廠出手得盧人皆歆羨織業日盛棉業日豐近年海關
貿易冊載棉花輸出達五千餘萬元爲出口貨大宗故周緝之
總長爲實業大家公左右之若驂之靳致此聲譽非偶然也溯
公自民國七年冬接辦華新津廠總握全權至十六年止八年
之中獲正紅利三百餘萬公積折舊九十餘萬公洗手奉公除
薪金獎金外絕無絲毫沾潤每謂辦實業無他術但能以清廉

率屬實事求是自信無虧折之虞故律唐衛二廠皆受任於飄搖風雨之中一經擘畫卽蒸蒸日上在事則任勞任怨不避把持包攬之嫌迨至基礎鞏固信用昭彰十六年後遂改為經理制功成身退絕不怙戀權利雅度沖襟尤不可及潛與公論交四十年自業勤開辦以至華新成立無役不從於公經營擘畫之苦心知之最悉特揭櫫之以告世之談紡織業者民國十八年冬無錫顧潛記

景熥曩歲留學美國顧沅芍世伯以此稿寄示藏之篋衍今邇庭偶錄付印因附於後局外人但見獲利之易不知任事之艱非共事深交不能詳悉也景熥謹識

楊味雲先生八秩壽言彙錄

張元濟拜題

楊味雲先生八秩壽言彙錄總目

舅父楊味雲先生道德政治文章萬流鏡仰前歲八秩稱觴

名流故舊競相投贈詩文琳瑯滿幅美不勝收哲嗣通誼表弟擬輯爲壽言彙錄以資紀念而委聰司編校之役比年體弱多病排比經歲尚未蕆事而 先生遽歸道山當茲國事蜩螗耆年碩德無疾考終且當平津易手之前未稍受鋒鏑之驚可稱全福第以遭此變故是刊未便繼續進行用將已印詩文先付裝訂藉留鴻爪而誌雲誼又 先生六秩時陳弢庵太傅授意丁闇公前輩撰駢文爲壽樂旨潘詞一時無兩七秩時陳散原先生亦撰壽文允稱鉅製斲輪名手先後凋零今一併校印附刊藉見前輩交誼之摯留此翰墨緣以傳文壇之佳話云爾己丑春日王祖聰謹識

壽文目錄

七十壽言 隷二立

楊味雲司農八十壽序

陳夔龍

士君子進而立朝本平居修爲之所得爲國家規富庶退而在野出經綸天下之餘緒爲民生謀樂利苟內憂外侮之不作則正德厚生利用之盛不難復見於叔世既不得竟其施則徜徉歌嘯超然塵壒之外使天下想望丰采謂遵時養晦之不可忽而讀書明道者之自有真也錫山楊味雲司農爲藝芳京卿藕舫觀察之從子京卿以善理財受知李文忠位業彪炳觀察優遊里閈創辦業勤紗廠得風氣先而封翁用舟廣文以宿儒秉教鐸淹貫百家故君之文學茂美得自庭誥爲多而通達治體實承京卿之教其振導實業則又趾美觀察而發揚光大之請

臚舉以實吾說君自丱角以至弱冠潛研舉業涉獵詞章明姿
績學所造自豐辛卯捷京兆闈兩上春官不第當光緒中葉強
虜憑凌外無堅甲利兵之備內有司農仰屋之嗟日下爲人文
淵藪士大夫志存康濟抵掌而談天下事競以實學相砥礪君
謂漢武通西南夷快心狠塞衞霍桑孔交相爲用旣不能效請
纓投軍之壯則坐論以策富強莫先理財乃發篋陳書取歷代
錢幣賦稅鹽法漕運各門提要鉤玄纂錄至數十萬言蓋慨然
有用世之志矣其少年之治學也精勤有如此旣而椿庭失蔭
橐筆遠遊從京卿於三晉佐治官書一篇旣出爭相延譽遂爲
節府上客枚乘之遊梁苑馬周之代常何不是過焉然而鸞鳳

不無栖棘之嗟大鵬終有摶雲之志遂以華資儤直西掖風流文采朝貴折節商部初設調補郎官隨使歐西南洋不次遷擢六年而至度支部參議白首馮唐望若登仙君以所學有致用之地乃酌古今中外之宜制平衡綜覈之法事未悉行而神器遷遁後之歷外臺登九列者非枉尺以梯榮也蒿目時艱亦思假斧柯以完吾志耳故在會則上計考最在長蘆則牢盆算溢美政清名流傳四裔其中年之服政也猷爲又如此紡織之利在昔視爲婦功耳不知世界各國通商惠工關係於國計民生者至鉅民國以前北洋並無紡織業紗布仰給舶來品迨京卿奉旨督辦順直紡織以病歸未及辦君退居津門乃與周緝之

司農携手設立華新紗廠推及於唐山衞輝又奉令爲全國棉業督辦於是北五省棉業浡興卒成先志至今談北方棉業者羣以君爲先河其晚年之興利也宏偉又如此夫遊夏文學冉季政事端木貨殖在聖門僅專其一君乃以一身兼擅之其過人也遠矣然予之所以推挹君者猶有在世之衰也天澤之分既乖攘竊之風相繼黨同伐異爭羅賢俊以自重君雖以徵車敦促未遂初服而硜然自守皭然不滓如香山在官不黨牛李故方鎭之兼幷朝士之傾軋未嘗一與其間其丰裁峻整有異於巧宦之所爲者又觀夫魯陽揮戈將迴日馭君以夙望特簡計相雖志事未遂不免灞上棘門之譏而求隱微於迹象之外

則君固未嘗與食薇采芝者異其趨也厥後政樞南徙猾夏與

戎而寥天一鶴蹭蹬長辭避胡擅而張翰知機乞鑑湖而賀監

入道世縱有求舊之思而君終樂養閒之趣富貴不能淫威武

不能屈儒者際邦家多故之秋其立身處世不當如是耶丁亥

八月君年登八十矣哲嗣景㙉景熾景熁將開介壽之觴以伸

潔養之義先期乞予爲文以張之予久羈疆寄而君同翔臺閣

縞紵之歡缺焉未遂晚臥滄江與君世父小荔太守數共遊讌

太守與予乙亥同登賢書年且高於予而聰強過之過東山而

知羣從之多賢入竹林而思道南之風槪期頤之瑞萃於一門

非曼辭也而况聲聞之壽有逾於亥算者在耶至若誦芬詠駿

復管社之荒莊誓墓買山築雲薖之別業星槎筆札價重雞林

汐社吟編感深陵谷則又精靈所寄名山之壽也豈徒笙簧酒

醴之爲懽已哉吾老矣北望鵲橋舊遊如夢南瞻黿渚濟勝無

能又安得藉躋堂酌兕之暇白頭相對共話開元乎賜進士出

身陸軍部尚書直隸總督世愚弟陳夔龍頓首拜撰

無錫楊味雲先生八秩榮慶謹序　　唐文治

歲在強圉大淵獻陬月吉日忻逢吾執友味雲楊先生八秩攬

揆艮辰廣勤廣豐廣利公司諸同人介同鄉顧君康伯來請徵

文於時春酒初熟祥風斯扇戚鄰僚友蹌蹌濟濟羣萃華堂吉

語駢蕃同介壽祉爰有執爵而進者曰先生自幼天賦英邁萬

卷胸羅發爲文章瑰琦炳蔚操不律灑灑洋洋數千百言倚馬
立就擷羣經之奧突雄司馬之高文於學既無所不闚於文則
諸體咸備歷金門登玉堂諸賢頫首莫敢與抗讀雲在山房類
稿諸鉅著豈非文章家之淵藪乎願獻一觴以爲祝又有執爵
而進者曰先生提倡棉業擘畫經營衣被羣黎罔有涯涘其言
曰欲北方之民無飢莫如興農田欲北方之民無寒莫如興紡
織於是偕周緝之總長剏設華新紗廠於津市繼復高掌遠蹠
推暨遐方獨力推設唐山衛輝等處數稔之間風起雲湧天津
紡織廠成立者六家而晉豫遼魯風聲所播並時奮興於是日
光一色雲錦七襄惠逮乎窮簷恩周乎挾纊僉爾而稱曰此皆

無錫楊公之賜也而先生退然謙抑絕不居功此非盛德之至者乎願再獻一觴以爲祝於是又有執爵而進者曰人皆知先生爲經濟家實業家而不知其政績之卓著也先生殫精經世之學舉凡田賦鹽漕幣制農田水利諸大政靡不鉤稽考覈握其綱維嘗手錄數十萬言裒然成帙出而施諸實政初由內閣中書考取商部載育周尚書倚畀特隆凡部中宏文典册悉出先生手定旋隨使節赴泰東西各國暨南洋羣島參贊機宜象寄譯鞮人懷其德比歸擢度支部參議方是時當軸者銳意變法廓清積弊遂任先生爲清理財政總辦政體改變後任長蘆鹽運使山東財政廳旋內調爲財政部次長行政一秉大公不

涉苛細裁減各行省外銷款凡法所不當取者一切禁斷之而

於疆吏鹽司歲入養廉豐其祿或疑其歧視先生曰旣謂之養

廉矣必使所入足以養而後可責以廉議遂定河工經費歲出

甚鉅有議盡罷之者先生持不可曰國家奈何吝此數十萬金

不爲末弁微員留生計耶議者以爲名論此非政治家之竅要

乎願再獻一觴以爲祝於是余乃匑匑然執爵而晉頌曰義經

大義消息因時中庸準易亦以溥濟時出爲旨先生敭歷中外

所以因應咸宜者善覩乎盈虛消長之樞機也至於經綸萬彙

綱紀四方惟在時措得宜而已余與同官農工商部察其安止

從容德性堅定不競不絿不震不動知其深造自得涵養有素

後聞其服官運使財部時進退取與與事上涖下舉以曾文正爲法嘗考文正與李申甫先生書謂修己治人之道當以取人爲善與人爲善兩事每日書之於册自省所行善果若何其赴善言善行宜沛然莫之能禦邇者鴻嗷於野魚潛於淵屋烏無止舍之瞻鋋鹿有走險之象萬姓睽睽望治奚啻飢渴先生悲憫素蘊體用兼賅雖嘗修葺管社山莊有歸隱奉先之志而余深望其濟世救民出膺霖雨蒼生之寄凡在同志翕然雲從闓澤徧乎寰區黎庶登於衽席而其子姓振振俾昌而熾式穀受祿罄無不宜豈不懿歟衆皆日茂哉茂哉退而敍紀其說以爲爾日舉觴之侑焉清賜進士出身誥授光祿大夫農工商部左侍

郎署理尚書年愚弟唐文治頓首拜撰清賜進士出身學部副大臣郵傳部左參議翰林院庶吉士年愚弟張元濟頓首拜書

楊味雲先生八十壽序

錢基博

中華民國三十六年正月吉日邑老楊味雲先生壽躋八十哲嗣通誼以介壽之文見屬曰吾父歇歷京朝而慕高誼之日久以景爔之不肖而俾執贄稱弟子焉曩者七十欲得夫子一言以奉觴承歡而夫子辭以采薪之憂未之許也十年以來東人不道肆其封豕長蛇以來逞志於我神州蕩覆戎馬生郊國無堅城人無固志降志辱身獲免爲幸而吾父持躬有常處變若定親暱莫敢惑以私奸慝不能奪其節棲遲律門用晦而明而

祈天永命欣覩重光是固艱貞之利抑亦夫子之所許也儻獲
夫子之文以發吾父之志豈惟侑觴稱壽以假寵此日抑亦立
懦廉頑以垂範千秋基博白首一經寂寞自守而先生於博二
十年以長又早貴達利澤施於人名聲昭於時道古今而譽盛
德者滿前豈乏之才俊何取於固窮之博而再命及之獨念通誼
之所以相督者其詞摯其義大風教所關不敢以辭伏以先生
早擅文章於學無所不通中式光緒十七年順天鄉試舉人以
內閣中書筮仕遜清究心經世大業奉詔隨五大臣出使考察
足跡徧大瀛海外歐羅巴美利堅諸邦旁逮南洋各島習知四
國之爲故其爲文綜貫今古紆徐委備而條析事理期可見諸

施行顧意有所鬱結不得施用數爲貴人草奏言事其尤犖犖
大者莫如籲立憲以宣民氣釐官制以淸政本辦預算以制國
用它言天下事甚衆余嚮序先生思冲齋文别鈔而肆業及之
顧其言不用而淸社以屋民國肇造元首側席兩貳財部一代
總長而制節謹度量入爲出不輕加賦以剝民不發公債以敗
國各省議借內外債無不駁斥謂吾儕財政有年未嘗在債款
合同上簽一字可告無罪於國人矣覩民國六年以後之長國
家而務財用者以借債爲第一策能借債爲第一流未嘗不發
憤而道日各國以公債補助財政吾國則以公債破壞財政曩
吾隨使出洋考察時法國財政家朋克博士爲余言國家濫發

公債不啻以財政交託銀行政府失均衡調節之權銀行固以
貿利爲無上而政府惟所左右其弊不可勝言可謂有慨乎其
言之也先是遜清之世官商交接有干國典苟不自愛彈劾隨
之至末造而禁漸弛然匯豐銀行買辦至度支部衹坐茶房室
候司官接見民國以來總次長始與銀行行長分庭抗禮及公
債政策行而銀行聲生勢長總次長倒屣傾襟如不及銀行公
會傳呼則奔走恐後憲綱掃地而先生則曰國家自有體制吾
安能隨人俯仰然國庫入九千萬之歲入無不爲銀行抵押品
而公債基金之保管則以委諸稅務司安格聯於是財政之命
脈操諸外人而長財政者惟命是聽至是美人召集華盛頓會

議以有九國公約議決中國關稅實行值百抽五歲可增千餘萬兩而安格聯上維持內債說帖欲以值百抽五之新關稅撥充金融等六項公債基金於是國人之握有公債者無不羣然和之而先生持不可日新關餘及鹽餘月收三百餘萬今日政費之所資以挹注若移交安氏則財部束手矣安氏陽託整理之名陰行壟斷之實而把持關稅償債以外悉儲滙豐銀行內債抽籤任其定期外債購鎊任其作價財部一切不得過問彼乃乘政府之急而以所儲關餘發行公債使半耗於息扣之中官吏嗷嗷聞公債發行則動色相告如欣更生初不知演此髓竭膏枯之現象者誰實爲之長財政者必仰安氏之鼻息與銀

行爲黨同否則羣譏衆謗岌岌不可以一日安吾於此感憤久矣不能遏其流安能揚其燄乎顧惟利是圖相習成風報館要求律貼不應則造謠攻訐議員請託差事不應則提案抨彈而安格聯之勢益張以爲先生破壞公債謗訕萬端外度羣情內揣素守措施不得慨然嘆曰吾所研究者中國歷史之財政吾所考察者立憲各國之財政六年以來國用無藝主計者挪移假貸破常軌以固私便吾之所懷何能見之行事謝病堅不起而後安格聯得肆其志挾關餘以操縱公債積貲數千萬至十五年冬顧維鈞爲國務總理乃毅然免安格聯職解任之時猶私挪關餘四百萬存滙豐銀行迨財政部查明劾治而安格聯

已逍遙海外莫之誰何然後論者悟安格聯之奸而諒先生之
公忠體國爲不可及也獨念先生早參樞要而彈射莫及久筦
財政而脂膏不潤元首委己總長拱手而推誠相與猜嫌不起
交滿天下泛愛多可詔通誼兄弟曰斯人斯世安所得如許賢
人君子以宏濟艱難祗盡其在我而已人多以先生與人爲亡
町畦而不知先生接物宏而持躬直內文明而外柔順義之所
在挂以隻身羣囂莫奪情有相孚待以素交榮觀無與黎元洪
張勳成敗異勢而交誼同摯徐世昌有師弟之誼王士珍段祺
瑞馮國璋三人皆通家之好意氣素投而未嘗攀援求進進不
因人軒退不因人輕及至東人作慝盜有諸夏蒐羅物望以搖

衆志一時名宿罕不入穀而新朝貴顯雅多知交津門尤逼處
東人羣蜚刺天藏垢納污天下之惡皆歸焉先生久住津門中
外人屬耳目而莫敢以一職相浼亦無人以片詞進說蕭然物
外杜門養高內難而能正其志此固非先生之所難而所難者
人之相望先生於亡何有之鄉爾吾聞列子之問關尹子曰至
人潛行不空蹈火不熱行乎萬物之上而不慄請問何以至於
此關尹子曰是純氣之守也非智巧果敢之列彼將處乎不深
之度而藏乎無端之紀游乎萬物之所終始一其性養其氣合
其德以通乎物之所造夫若是者其天守全其神無郤故物莫
之能傷也觀乎先生處極滄桑之變而超然形迹之表歷險若

夷行所無事豈非所謂合其德以通乎物之所造而物莫之能傷者耶此固古之所謂至人而游乎萬物之所終始千秋萬歲與世無極有酒如淮長寫不竭然則壽非先生之所不足而奚俟余之稱說以祈黃耇也哉世愚弟錢基博謹撰

味雲四哥先生八旬壽言　鄧以模

人受天地之正氣以生而不爲私欲所蔽淸其心以養其身心無渣滓身其康強年登大耋而神明完固若是者余於老友楊君味雲得之君生天元戊辰歷中元丁亥計年政八十矣諸公子徧徵詩文海內大手筆當必各出傑作扢雅揚風以張華堂而介眉壽媿余學問譾陋不工吟咏重以環境厄塞心神靡

甯安能作此顧綜余生平知交中最夙契而敬愛者舉莫君若
又安可以無言第念君之設施關乎國計民生之犖犖大者當
世所共聞見無俟余言爰摭疇昔與君共旅居同遊讌以及歷
歲往還之種種瑣事約略敘述博君一粲君其許我乎君天賦
異秉穎悟絕人年未弱冠以院試第一名入邑庠並取古學嘗
刻試草古學題介之推不言祿賦以能如是乎與汝偕隱爲韻
中押是字有看諸君袞袞登朝大丈夫固當如是句余時習制
藝讀之有感謂作此者亦必登朝也辛卯登賢書遊幕冀北壬
寅余膺君令先伯藝芳京卿之聘課其京寓兩孫余附輪至津
見君於京卿之邸寓握手言歡抵京後君值內閣住方壺齋余

執教鞭任香爐營相距較邇日夕過從論列文藝詳攷載籍徧
覽各國書史參究海洋輿圖每有所得輒以相證暇時或出遊
覽君自有驢車與余同乘一日君與候選知縣姚某暨余小酌
煤市街泰豐樓余飲白玫瑰十二巵抵掌傾譚不覺爛醉君扶
余登車嘔吐狼籍滿車箱君另雇騾車而歸嗣余攷取淸宗室
覺羅八旗學堂教習以補覆正取一名傳到尚需時日偕君令
先弟培南赴安州任教讀外兼閱州攷試卷閒至都門寓櫻桃
斜街鴻昇店君卽命駕來讌譚至晚招友人作手談終宵又一
日與君同赴安州乘火車至保定宿阜豐棧土坑寬廣襆被分
鋪旅枕無聊以互吸淡巴菰消遣君尚能記此耶甲辰春余以

八旗教習傳到辭去安州至京前圓恩寺第一學堂授課君考
取特科入農工商部接眷稅居石虎胡同余得暇輒趨談并以
得律風通話乙巳君隨澤公出洋攷察各國政治余時至君寓
訪問狀況丁未春余赴吉林襄理農工商局巡撫朱家寶氏探
余條陳令局長胡君宗瀛與余東渡攷察各種實業並至北海
道調查拓殖辦法徧歷日本國土而君佐楊杏城侍郎赴南洋
各島撫慰華僑先後歸國相見於滬濱歡敘累日代擬請給梭
羅國王三等寶星闢瓊厓島爲商埠兩奏稿以分君勞而擴余
識翌歲余與胡君宗瀛至奉天安東開辦中日合辦鴨綠江採
木公司君時有書至云已置得北京西城鴨子廟太平橋住宅

廳後書齋數間備與余居約余抵京下榻其處余於庚戌春赴
京逕寓君宅並給余餐時君已調度支部丞參兼鹽政處參事
部務殷繁鹽政未遑兼顧以余近歷關東情形較悉將東省鹽
務之文件册報搜集帶同屬余分類彙編余編東三省鹽務志
略成册君持呈澤公頗蒙欣賞命各省一律照編派余為鹽政
處奉直廳委員逐日公畢返寓備述所擬稿中文義君謂皮厚
須開門見山乃可余悉心研究多擬稿件躬送提調晏安瀾氏
核閱始則稍稍改竄馴至一字不易並見余至輒云坐殊心印
也辛亥夏鹽政改處為院奏准獨立遴選員司須有出身官職
者俾補相當實缺余立起程回籍領取恩貢執照還京註册就

職直隸州州判君遽謂余日新選單上未列君名送經探詢據

晏提調云奉直廳公事鄧某第一但此人殊有脾氣某日多改

其稿竟至兼旬未送稿來閱畫到簿按日簽名余聞而嘻蓋余

瀕行時匆匆擬就一稿辭句未妥囑同廳顧君顯曾另擬送核

詎顧仍以余稿送上畫到簿亦由廳友代簽悔未請假欲辯無

從君爲設法轉圜列入選單奏補一等簽事疏甫上而武昌革

命軍起矣各省響應京師震動曹部一空君以一身撐拄部務

風聲日緊眷屬去津獨與余株守邸第歷若干日迨遜位詔將

下始出都而余亦旋里矣民國紀元各部更名添設余於秋初

北上仍寓君宅君尙寓津余謁財政總長熊希齡氏未晤爰擬

森林條陳十則上農林部聞部長宋教仁氏閱之甚喜派余山林司辦事時財長熊氏調任熱河都統繼任周學熙氏邀君還都商辦鹽政設籌備處以其時都統熊氏主官專賣南通張謇氏主就場征稅均呈總統袁氏交部核議君轉輾籌思將二者鎔爲一爐爲就場官專賣函邀李君思浩朱君吻荃吳君彤恩查君鳳聲與余五人設研究所於禮部大堂分條草擬君總其成余日間擬稿夜謄各草輒至通宵盡一月而研究畢成全國鹽務計劃一書此一月間余屢接家毋病信不得請假迨接病危電星夜遄回已不及矣事竣回京君已出任長蘆運使部令收回房嵩綫鐵路派余監盤而商人孫鴻鈞以與前運使張弧

氏訂立十年契約涉訟法庭君與余郵電互遞日必數起會值
五國銀團貸款二億五千萬以鹽餘作抵設稽核總所於京都
產鹽地各設分所由銀團派員經理權運各局由部派員稽核
派余爲黑龍江稽核員余駐哈爾濱江鹽局中適總所派美國
人巴爾穆氏至局視察見余各種簿記表册謂以一人辦十數
人之事至爲奇異余語以江局滋弊宜裁併吉林爲吉黑權運
局巴氏同京如余之計商准總所丁恩氏裁撤黑龍江局設吉
黑權運總局另設稽核總處派余爲華稽核員巴氏爲洋稽核
員余因公赴部君適在都邀余與鹽署廳長李君思浩酌東華
門酒肆君以余升任兩省稽核代謝李君吹噓李云無關係外

國人調查成績所致尋簡君爲吉林財政廳長君以軍人干政延不赴任余赴省長郭宗熙氏之宴將軍孟恩遠氏在座見余卽日聞新任楊廳長與老弟至好何以遲遲不來望轉告速赴任吾人一致懽迎也余如言函告而君已調長山東財政尅日赴任矣丙辰余以例假旋里聞日人勾結土匪騷擾濟南亟欲趨視至浦口登車遇省署祕書梁君素文詢余何往曰濟南有事視楊廳長梁曰城關緊閉不能入速電通知派人候接隨擬電由梁飭僕拍發余至濟站已有人接引入城至署君尚高臥聞余至卽起身謂夜間鎗聲四起不能眠俾晝作夜是以起遲隨喚周君季湄速作無錫蠶頭子供余午餐要員星散衙舍蕭

條入夜與余雀戰達旦余附早車出關戊午余又以例假同南
過津轉京君已卸任山東財廳與余徒步至驢馬市大街酒家
暢敘途中謂余應換蘭譜余謂口頭訂約勝於一紙君年長爲
兄余爲弟此後賜翰望勿稱我兄與仁兄可乎君曰諾庚申余
五十初度君欲贈余壽屏余力却不獲請改作簡須君自書許
之君選上等薛濤箋書就小行楷八頁古錦裝璜檀木爲匣賁
送長春余攜藏諸家年前日寇被掠并無底稿惜哉壬戌冬君
督辦無錫商埠余已辭職家居敘首里門盍簪相慶商埠設局
職員林立余爲董事六人之一不支薪水挂名而已未幾君以
當道電召回京任要職埠務由祕書代理逾年邑中好事者指

摘埠局弊竇欲控諸省君聞之飛函囑余前往徽查余至局核
閱收支各册職員薪俸憑領單器具購置憑發票銀行存息與
複利逐一攷覈開辦十六閱月領款一十萬元出入各數相符
翌日華君硯雲面詢查賬如何余告以收支均相符合惟發票
所開物價與市值較昂此係商店之弊與埠局無關余既查明
當負全責如欲控省控余一人可矣華默然君覆函謂又多一
重香火緣矣乙丑蘇省長鄭謙氏聘余清理全省六十縣知事
交代駐財政廳署君覆函余將無錫商埠局册報悉數銷訖乙
亥君第三公子通誼世講懇余介榮君德生第六女公子爲繼
室余往返城鄉力爲撮合以底於成越歲合卺君歸主昏暢敘

懽洽旋丁陽九南北相睽余以右手震顫不克握管音問闊疏
前歲聞君違和余勉作函問狀用左手扶書君坐床憑几親筆
作答具見余兩人相與之摯流光荏苒不相見者忽忽星週余
蟄伏里閭晌將二十稔矣感念身世憂心如焚故舊親朋晨星
寥落而君頤養㢠門巋然登壽八秩俯仰今昔經滄桑之變革
睹日月之重光是誠可爲慶幸而酌斗以勸進者君心性靜穆
度量淵涵著作等身文章名世純乎得天地之正氣也不好貨
不二色私欲無所蔽矣而又善自調攝耄期無倦子舍承懽孫
枝繞膝洵足稱汾陽福壽潞國耆年曩君寓書頌余者今轉以
頌君此書幸尚存未佚也又憶君曾語余術士切君有太素脉

爲壽者徵審是由耄耋而期頤重週花甲壽未可量抑尤有進

者鄉邦景物祖澤涵濡盼君夙駕言旋重尋兒日釣遊之地泛

舟五里淪茗二泉鼋渚楊園湖山攬勝余當執鞭相從歌詠朝

夕共樂天年君意其在斯乎謹以斯言爲劵

中華民國三十有六年歲次丁亥孟春之月弟鄧以模拜祝

楊味雲先生八秩壽言　　　　徐寄廎

味雲先生三十年前一財政家亦一實業家也民國五年袁項

城稱帝後四月中交兩行停兌鈔票令下舉國騷然其時宋漢

章張公權二先生長上海中國銀行鄂人長九江中國銀行均

以抗命不停兌爲人民留一點元氣項閱楊公子趨庭隅錄藉

知當時　先生掌山東財政奉停兌令置之懷中謁軍民兩長
會電政府暫緩施行並登報宣佈人心遂定與鄙人在九江時
奉停兌電走謁九江道尹吳菊樓先生情形相同可知亂命不
可奉回憶當時袁政府有令云倘庫中兌出一元即予嚴辦北
京中交當局奉命維謹深爲可歎茲撮一端以爲　先生八十
大慶可壽之一　永嘉徐寄廎拜撰

梁溪楊味雲侍郎六十壽言代陳弢庵太傅　丁傳靖

夫數珠斗與奎垣不列神倉之宿訪銅山於嚴道曾無文筆
之峯班氏志藝文未採張蒼之奏議唐人重詩賦不傳劉晏
之篇章蓋道本分途故事難兼美乃有人焉才擅均輸學窮

邱索讀史而傳編貨殖采風而錄著寰瀛進則元和計簿李

吉甫首創專書退則長慶歌行白樂天別成新格讀鴉夷七

策腰纏招騎鶴之仙游騶衍九洲手版題釣鰲之客如味雲

仁兄亦晚季所希有矣君龍山甲族鱣堂世家考古東林尋

高忠憲顧端文之墜緒趨庭瀨水讀史儆庵任香谷之遺書

王元之詩句驚人老宿卜飛騰之器曾空青勝沙有術異僧

識轉運之才京賦傳抄紙貴洛陽之價主文歎賞珠搜滄海

之遺既領賢書不營膴仕其治學也於諸子獨精管晏於九

流雅近研桑凡李翱平賦之書欒城豐財之論韓太冲稅斂

出入規制陸宣公緣租編定奏書無不窮源竟委提要鉤元

名山之講習已深故他日之設施有本以視纔離蔥市遽升

計相之堂何處牙郎忽綰司農之綬庸可同日語乎久之始

以中書入商部尋隨節使歷重洋仙仗千官賈舍人朝傳佳

句鎖廳六論晁宗慤夕拜除書花讌烏皮館伴特詢家世弓

衣蠻布邊方爭繡詩篇而醫國之資都收藥籠出疆之役不

負銀槎矣歸未幾擢度支部參議自周禮不行朝無司會之

法自史官失職國無平準之書林士奇議於祥符宮府以爲

未便田元均作於皇祐吏胥緣以爲奸君審酌古今亭平中

外而預算決算之法立焉軍興以後外重內輕疆吏之取求

軍需之浮冒薇垣希旨埊鈐韍而聾正供金部無聲視屋梁

而畫大諾君權其緩急嚴定科程而督撫外銷之弊去焉體杜祁公先問私財之意則律貼從優味王文正務持大體之言則河工不減凡所手定之法皆爲掌故之資風起鯤溟方擊三千之水劫更龍漢已逢百六之辰獺尾畫輪難制王琨之淚蠣頭殘燭未灰謝朏之心丁巳之役眷念舊人擢置卿貳使第五琦常司鹽鐵將成靈武之勛得陳福公久掌度支必翊紹興之運時不及待天實爲之於是與運推移因時俯仰江斅移牀而遠客王導舉扇而障塵究之劉景升徒養烏牛豈復能知蒯越慕容超但驅黃犬何嘗能用封孚雖偶停裸國之車終不黜墨生之突而君亦浩然去矣昔元遺山中

州一集終以姚孝錫爲前民黃梨洲文海一編仍列侯朝宗
於遺獻君子之原心豈世人之常解兇烽烟行在足繭麻鞋
風雨郵亭手供豆粥王貽上紅橋宴上無非前代遺民顧云
美塔影園中獨拜先朝寶翰彼洪駒父亦稱名士私竊竹闕
之珍陳素庵早忝詞臣擢到孝陵之樹聞君之風其亦知所
返乎退閒以來從事紗廠一則開中原美利藉以塞百載漏
巵一以憫元二災年聊以代萬間廣廈試運經綸之手具徵
大匠宏裁卽看纂組之華亦見文人妙用人以爲陶朱事業
去官而住湖陰吾以爲小范襟期濟人不必艮相暇則商量
舊學狎主詩盟規仿唐賢高格軼龍標而上流連汐社悲歌

寄皋羽之懷滄粟叢鈔皆他年之史料雲薖小錄多先正之法言淥水亭前軼事苦搜容若貫華閣上遺墟來弔梁汾其逸韻勝情不當求之近代矣今年爲君六十齊眉之慶移桂子之清樽就梅花之高館惠山鄉飲竹鑪煎第二之泉獲臘元正柏酒對初三之月某等昔共朝班晚偕吟社過新昌里第屢訪於陵讀凝碧詩篇深知摩詰行見經綸富國補管夷吾乘馬之書更看著述歸田續范成大驂鸞之錄賜進士出身太傅弘德殿授讀世愚弟陳寶琛拜撰

楊君味雲司、農七十壽言　陳三立

歲在強圉赤奮若其月壯其朔乙未其日乙卯無錫楊味雲

司農登壽七十配顧夫人實與偕老前期君之鄉里雅故臚
舉君朝野名績可謌頌者乞爲介觴之詞余既不獲以老病
謝則如諸君所欲言者具書之以爲酌大斗祈黃耇之旁揚
氏爲無錫著姓君世父藝芳京卿以善理財受知李文忠公
官長蘆鹽運使最久而世父藕芳觀察實辦業勤紗廠於無
錫京卿公亦督辦紡織於絳州君趾踵前美其所資歷與京
卿公相類遭世異變程功之難有十百倍於前日者而君居
之位加崇業加隆所謂祇繫其才不繫其逢者歟君有至性
事用舟封翁以孝聞嘗侍疾衣不解帶者兩月餘封翁歎曰
有子如此復何憾願他日汝子事汝猶汝之事我也光緒辛

卯舉於鄉計偕入都爲翁文恭孫文正許恭慎徐壽蘅尚書所器賞名日起甲午戰後棄科舉業發憤治經世學凡田賦鹽漕幣制農田水利諸政博綜條貫手錄至數千萬言以內閣中書調商部長官才之隨使泰東西各國南洋羣島洞明中外政教禮俗盛衰強弱之原凡著書十餘種聲譽益蓊積勞越次超擢六年至度支部參議時朝廷方以變法詔天下計政所繫尤巨於是以君爲清理財政總辦君則參酌中外制預算決算法奏行之中國之有預算決算自君始當是時長度支者爲親貴某公頗以綜覈自詭左右言利者苛細析秋毫君獨侃侃持大體既裁各行省外銷款其他各官吏法

所不當取者一切禁斷而疆吏監司歲入養廉銀至鉅君議
增歲三四百萬尚書以下疑其濫君曰既謂之養廉矣必使
所入足以養而後可責以廉卒如君議河工尤爲弊藪議者
欲痛裁之君不可曰工費大鉅慮生他患國家奈何吝此數
十萬金不爲末弁微員留生計耶識者均以爲名言光宣間
新政待舉者多預算不給至七千餘萬君次第其已辦未辦
時其緩急而先後之收支得無迕長蘆鹽運使缺員樞府意
屬君尚書留自助至欲爲君置宅邸旁朝夕備顧問其倚重
蓋如此國變後一官長蘆鹽運使山東財政廳再貳財政部
所在皆有聲而官長蘆時毅然遵部令改兩爲元舉科目繁

碎銀數畸零平色高下掃刮立盡吏不得緣爲奸歲入七百萬至是乃增至九百萬長山東財政廳考績居最時方議辦濮陽河工畝捐而登萊等九縣新被兵紳民籲請豁免君曰水旱盜賊兵燹之災何地蔑有許之令將不行於國中不如取焉而仍蠲之以爲賑則令行而民不病矣接屬吏以禮而稽核交代綦嚴終君任所屬未有以墨敗者去職時庫中存帑百餘萬尤爲人所稱嘗以鹽務署長兼稽核所總辦會辦威爾敦英吉利人也最心折君以爲留中國二十餘年所見大吏通達事理廉潔有守者惟楊署長一人其爲外人所推重又如此君自去商部歷中外數十年未嘗一日離財政

大抵以整飭撙節爲本不一舉外債而敷施裕如人尤以爲難然終未嘗入閣蓋君所操持固不可與時詭隨也嘗一爲中國實業銀行協理適訛言興爭執鈔貿金勢洶洶幾殆君從容因應卒無事乃謝去少從世父治紗廠於無錫習其利害官京師日嘗語人曰欲北方民無飢莫如興農田欲北方民無寒莫如興紡織因與周君緝之創華新紗廠於天津唐山衛輝等處相繼成立旋代棉業督辦天津紗廠踵起者凡六家晉豫遼魯亦望風興作北方言棉利者紛然君善知時日盛極矣其將衰乎則務爲嗇縮厚植其基期不敗已而果然人又多君前識君八歲能誦楚詞唐詩年十一詠紙鳶詩

驚其長老及長爲文務𢀖達不以法度自縛詩宗溫李而才

力縱恣自成其體尤工爲駢體文所著書日雲在山房類稿

晚歲息影津門春秋佳日輒看花故都與遺老名宿結社唱

酬爲樂而成君之廉廣君之惠使君無內顧憂者則德配顧

夫人之賢繼君之志述君之事使君無後顧憂者則令子景

燵景燧景熥之才並皆足以荷君之休隆君之養以致君於

無量算而君生平所樹立尤足以自致於不朽故不憚覼縷

之倘亦諸君之所欲言之旨乎世愚弟陳三立拜撰年愚弟

夏孫桐拜書

壽詩目錄

陳光甫　徐鴻（賓寶）　萬弼臣　杜　鏞　王曉籟　潘公展

劉聘三　駱清華　俞佐廷　李馥蓀　傅汝霖　錢基厚

華文川　鄧以模　侯鴻鑑　邵福瀛　許國鳳　王肇夏

以下未及排印　陳　誠　段宏業　唐子長　宋子良　戴志騫

張邦鐸　徐采丞　王伯元　區芳浦　夏偕復　羅郁銘

黃浴沂　卞壽孫　沈熙（瑞紐）　徐維明　徐國懋　胡汝鼎

胡瑞祥　李芸侯　金國寶　李軔哉　冀朝鼎　秦瑞玠

華寶孚　華汝潔　劉思誠　陳名珂　王鏡寰　唐殿鎮

蔡文（森淼）　陸佐霖　孫肇圻　胡　希　伍　璜　鄧福培

顧寶琛　陳堯甫　蔣吟秋　王壽彭　董　轍　何　遂

譚子剛　高佩德　何其興　馮雲初　傅崇禮　李昌熙

許葆英　聶其杰　黃元炳　浦莘民　鄒煥之　曹鍾煌

胡讓之　嚴振緒　楊壽標　金尚祁　沈壽桐　沈錫君

榮鴻（三元慶）　李忠樞　劉鳳生　劉滋生　劉雲舫　施昌第

周繼美　程質庵　胡敦復　薛祖康　過守一　孫伯亮

施壽麟　梁節之　龔導寸　葛維新　錢保（和穉）　侯擷荃

吳念勤　任　傑　瞿祖輝　袁維裕　馮　煥　孫立己

呂蒼岩　胡可時　榮庚（明亮）　盛祖江　沈祥芝　曹嘯谷

盧中道　張曉帆　匡寶榮　繆爾玠　姚應泰　施復侯

張照南　張福霖　蔡游存　李大偉　強光治　趙鶴齡

王晉僧　施織孫　承季厚　胡棣儂　汪　元　丁啓鴻

任竹銘　葛伯熹　高晉一　王汝昌濟　張宗鑫　章景璆

成希顒　章景瑜　章作霖楫　陳以源　王　廉　顧毓琦琇

顧毓琭珍　顧毓瑞琮

一

九十叟陳夔龍

開天朝士已無多喜見磻溪荷釣蓑不黨名删元祐籍同天夢

斷魯陽戈四知述德心如水九譯觀風海不波過盡浮雲生靜

悟碩人結想在槃阿

二

希逸老人志濂時年九十有六

吾阮夙稱賢今茲年八秩何以壽吾阮康強自逢吉宦途閱歷

多精幹無與匹富國更富民萬家頌生佛徵詩及衰翁吟成不

用律爲祝壽無量添籌始耄耋

三

年愚弟葉景葵

錫山楊與武原張同屬先朝鵷鷺行相戒初筵師衞武不希晚

遇見姬昌清門高節如方篤學府饑羣要饋糧南極星辰今會
合儻能扶杖到江鄉

四

年愚弟單　鎮

回首春明歲月長太平橋畔護垂楊趨曹草奏同籌策退直評
詩互引觴綜覈度支時仰屋奉宣德意識歸航驚心四十年前
事夢影依稀未可忘　八秩椿庭啓壽筵鯫生幸附古稀年海
桑閱世經多刼山桂招人悟淨禪諸子聯翩天下士太翁矍鑠
地行仙肆橋遙晉升恆頌敬祝期頤世澤縣

五

年愚弟　龐元濟

農部迴旋著令名復將衣被惠羣生而今健若磻溪叟經濟文

章海內驚　鱣堂福祿自天申與日同升歲月新遙頌關西清

白吏太椿初度八千春

六

年小弟汪曾武

別後時勞遠寄書詩筒來往月無虛慚余馬齒年差長羨子鵬

圖志已據循吏儒林應合傳遺經傳硯永終譽等身著作千秋

業類稿山房早滿儲　寰球隨節閱春秋足跡曾經五大洲救

國恤民存舊疏愛人節用出奇謀女輕組紃西京詔軍護儲胥

東魯籌應變長才能有幾天懷沖澹寡愆尤　平生踔厲氣無

前事業文章俱爛然南海慣編風土記妙年曾上孝廉船鶱摩

館訂金荃集黿渚吟留花萼篇三鳳齊名繩武迹及身快睹子

孫賢　索居惆悵久暌違垂老翻教接對稀幸有故人儕管鮑

苦無佳句壓劉韋橋東賃廡身堪隱硯北攤書目漸微佇聽鹿

鳴重賦宴期頤載譜鶴南飛

七

年小弟王季烈

弱歲吾觀上國光肩隨先進踏槐黃言忠行篤孚蠻貊王後盧

前敢頡頏五十餘年皆耄耋半生多感是滄桑程門立雪當時

事回首黃粱夢一場（光緒辛卯余應京兆試卷出豫建侯師余爲考官徐壽蘅侍郎所擷公是科獲雋亦豫師所薦言忠信行篤敬是科欽命首題也）

帝制何曾政獨裁爲期富教進賢才甫須九式均邦用不道

三邊告警來伏處未忘天下計傷時每切郢中哀當年我亦參

資政悔殺青衿釀禍胎　大廈原難一木支吾儕微尚少人知

尊周爲救龍無首秉魯猶如鼠有皮斯世横行多盜跖古人不

作渺軒羲南窗寄傲陶元亮不死心期似卷施　歲月如馳八

秩經幾時天地得清寧黄門遭亂成家訓絳縣疑年遜大齡萬

卷藏書雲在岫一編隅録子趨庭天留尚父爲元老南極光輝

仰大星

八

年愚弟南海桂坫

八秩瓊筵酌令辰巖松霄鶴健精神經綸不媿追君子衣被真

能護國人金偈清修成壽相黄門懿訓卽家珍文流述作皆餘

事盛德光輝篤所親

九

菊生弟張元濟

古稱仁壽有明徵況歷懸車更上層君自經綸行素願羣言衣
被徧蒼生大裘白傅賡長慶春酒豳民効至誠聊逐庇寒多士
後同歌天保祝岡陵

十

弟　林葆恆

往者須社集名流君亦聲應同氣求不才驂靳互抗手三載百
集共唱酬暘台杏花稱極盛曾同攬轡探清幽歸途脫輻幾不
測夜深投宿來僧樓一別十年遭喪亂相望無分親觥籌去歲
過津省君病榻前情話彌綢繆所惜匆匆仍別去催人津鼓難
停留近聞開觴慶入秩桂花時節酒新篘聊寫小詩當揚扢祝
君上壽蹈陵丘五湖秋水滑於油高年宿疾行當瘳賁華高閣

矗雲漢君能乘興來游否

十一　　如皋弟冒廣生

聯臂長安作勝游桃花片片落茶甌風雲萬變留雙眼少壯相交到白頭已見名山成大業笑呼孺子服先疇貫華刼後應無恙斗酒能謀共載不

十二　　李宣龔

錫山南塈費延緣宦味清於第二泉不潤脂膏監稅地遍游汗漫泛樽年農功細訂棉花譜佛喜常參柏樹禪豔說詩家多壽考方同評南宋詩人語誠齋名節冠時賢

十三　　高振霄

回首春明一夢過水流雲在意如何庸師有水流雲在圖卷君以雲在名集鄙亦以雲在名堂所見同也但不爲

英雄耳知雄守雌何必雄乎試與同參四知清德崇家法八節危灘穩碩適大道委蛇存

晚節枯禪定慧發高歌承歡喜有趨庭錄長與惠山峙嵯峨

十四　謝治盦

游蹤回憶十年前魯殿靈光已巋然饒有鬚眉徵古道不將言

論媚時賢茶烟蕩漾春明館乙亥游平於夏閏老席間相晤嗣後於稷園之春明館時時茗敘舊夢依稀

尺五天松柏後凋梅正發欣看八秩又開筵　不談勛業論文

章家學蓉裳與荔裳手訂叢書鮑淥飲心儀池館小謨觴仙成

脈望丹能轉風避爰居世未忘最是天津橋畔立杜鵑聲裏辨

興亡　詩題四壁句籠紗忍草庵中閣貫華點綴湖山堂宛在

福州小西湖宛在堂為閩中祭詩人之所流傳文獻板麻沙目空一世無餘子胸有千秋是作家君寓津門我僑錫王孫漂泊幾天涯　三達尊為四海聞闕西世胄衍清芬大明湖上看新月老學庵頭駐夕曛氣節貞於朱舜水肝腸俠似顧梁汾心香一瓣遙馳久豈待而今始壽君

世愚小弟　瞿宣穎

十五

錫山一老見宗工禮淑含醇上世風韓滉功名分陝右柳玭家法冠河東遠猷九式前型在耆學三餘勝事窮洛社年年會真率長懷杖履樂春融　藥闌花檻對年芳歲月壺中履道坊白氎禪床新居計青綾畫省舊封章蟬鳴帶露清無對鶴睡經冬

穩更長世事浮雲閒閱盡不知懷葛定何鄉

十六　愚弟 劉成禺

侯生曾說奉閑閑萬里息肩歸故關老易衣冠入城市坐排詩酒勸湖山度如三萬六千頃髮紀玄黃朱綠班朝士尚多隨杖履尊前梅竹笑開顔

十七　福厂王禔

磻谿且把釣徒呼西掖承平夢已蕪荐鶚早為當世重銜鱸竟使吉徵符騫槎載筆通重譯范舸攜家近五湖賡讀元和會計簿應知匡濟願猶辜

十八　宗弟 天驥

耆英冠冕文潞公達尊清望欣吾宗籀古著述彊且聰自是天人未易逢春秋彌高德彌隆兒齒黃髮明方瞳趨庭元季隅坐中白華清白本家風子鳳孫鸞毛羽豐奮翮高騫霄漢沖愧余侑觴辭未工

十九

世愚姪劉承幹

財賦羅胸效一官漢家鹽鐵仰桓寬嘉謀能仗朝廷重借箸親從海國觀金虎宮鄰傷子立瓊樓玉宇念高寒滄桑飽閱心猶壯待作鷹揚渭水看　復士山陵荷鍤同每從先誼識高風（先學士公與公並為崇陵監修官）三年補樹曾何効（承幹昔有崇陵補樹之役繪成圖卷）萬頃治棉久羨公經世文章關國計杖朝耄耋得天隆珣珉更看聯翩起歌吹陔華

樂意融

二十　　　　　　年愚姪龐國鈞

雍容郎署及承平絕域星軺賦既征九賦豈宜官禮舊四知無忝祖風清胡塵須洞先高蹈國計周章念老成燕趙至今歌芟舍木棉花底紡車聲　先公同上孝廉船紅葉清吟鴒序聯自託陳羣尊北海欲隨李委壽坡仙荊州願識書遲上絳縣疑年算正縣綠髩也曾瞻日近還期隅坐話開天

二十一　　　　　　世愚姪丁瑗

申伏秦餘享大年文章經濟孰齊肩名高京國無雙士秀毓家山第二泉小築水流雲自在一門花好月長圓中秋六日天香

滿老傍蟾宮倚桂眠　陟岵揮衣謁靖恭黃壚苦語見深衷冬
瓜生子言殊謔秋草賡吟媿未工蒲柳早衰懷壽竹萱蘇疏寄
轉孤蓬拟餘待槧先人稿並世知公賞爨桐

二十二

世晚許同莘

湖齋弟子早騰驤器局疏通國俊良爲政不苛存體要居家所
貴履尋常服膺老學思傳後抗手先民熠有光章奏同時推第
一豈徒物望重班行　郎官出處應星辰要使文章面目真節
概關西清白吏壺觴歷下宦遊人一生滄海橫流日百歲湖山
自在身安得侯芭常載酒從公問字往來頻　聯吟儔社憶前
塵萬卷蟫香喜結鄰聚散真如金谷澗風流何減玉堂人游梁

筆札多沈寂入蜀衣冠總苦辛爲報荆州老從事南樓舊話又

重陳　洞簫一曲鶴南飛欲泛扁舟入翠微此日東坡作高會

頻年人海悟前非九龍峯在山如畫萬頃堂開露未晞聞道著

書多歲月安排几杖待摳衣

愚弟張君勱

二十三

從來北地多寒苦留得典型宗老成最是宅心仁厚處木棉花

發織機聲　爲民請命吾之志四海困窮欲問天今日登堂祝

公壽信知大德必延年

袁　良

二十四

休官六十尚童顏八十稱觴身更閒人境自喧心自遠北牕高

臥傲南山　樊山實甫後先凋老壽詩人也寂寥偶取十年秋
草卷一燈桑海感如潮　長蘆鹽課粵關徵清白家風自有承
親友不須相問訊生平祇貯玉壺冰　湘鄉經濟在家書遺訓
黄門定不如衣被蒼生公有後賢卽事業日方初

二十五　居　正

文章道德兩兼之經濟尤推冠一時卅載勛名歸淡泊八旬歲
月仰風姿創興偉績垂宏業昭訓兒孫懔舊規漢代韋平綿世
澤懽承萊彩晉瓊巵

二十六　梁寒操

興業鴻規在懸車鶴算加簪纓三十載衣被萬千家偶擧僊詩

鉢曾乘奉使槎清心宜壽考不用飯胡麻

二十七　　前谿吳鼎昌

老待明融世商山詠采芝冲夷陶靖節仁惠鄭當時家訓惟忠

雅諸郎競羽儀袖中東海水長注百年卮

二十八　　張羣

八十高年髩未秋禪心詩意兩悠悠曾傳謀國饒奇策早識匡

時有遠猷事業恢皇垂北海壽星璀璨曜南州最難羣從多龍

鳳玉筱霞觴競獻酬

二十九　　鄒魯

浩瀚太湖水錫山毓老彭文章承漢魏經濟酌虛盈有道邦稱

轂行仁壽永生華筵開杖國人瑞慶昇平

三十　　杜建時

儒林冠冕見規模茂實英聲載道途泥雪追思鴻爪跡萊衣爭

向鯉庭趨夙欽計政宗劉宴晚有詩名似達夫雲在山房傳播

廣天輝南極耀門閭

三十一　　張厲生

惠山高峙惠風清宜有耆英間世生已把家箴施治譜還將商

業裕黎民階前玉樹三株秀堂上靈椿百歲榮待到中秋鼉阜

望光芒萬丈壽星明

三十二　　孔祥熙

茫茫禹跡掃羶腥燮理陰陽川岳靈鍾阜獻俘曠代典錫山呈

瑞老人星希蹤武庫功勳著衣被蒼生德澤馨更有圭璋能競

美芝蘭玉樹滿門庭

三十三　　宋子文

古今三立德功先救民濟國期聖賢出其緒餘製文字春花秋

月同登鮮晚清政衰財賦竭出司清理計周全服官臨民識大

體綱領既得繁苛捐創興棉業具碩畫邦人鄰友爭翹瞻戍竹

在胸知足止功成身退歸林泉吟詩讀畫自欣賞世人遙望飄

乎仙况復膝前有三鳳乘風振翮何聯翩聞詩聞禮趨庭錄頁

箴佳話推宏篇德隆福備足頤養聰強已屆杖朝年自壽詩成

應擊節知公一醉一陶然

三十四　　王世杰

海上安期若可逢高標落落見雲松匡山頭白歸來也莫忘花時過九龍

三十五　　俞大維

大雲若出作霖雨禹甸昀昀羣動蘇徒使弓旌虛往復只緣辟灌事勤劬蒼生疾苦加衣被赤縣蜩螗切剝膚藏富於民賢相業百年至計豈須臾　秋容蒼勁澹於菊濠濮悠然欣晚晴恬靜樂山仁者壽卷舒由己聖之清杖朝語默關羣望玉斝傳催揚大觥流轉風光春又到梅花香與訂詩盟

三十六　　吳忠信 集玉谿句

凝邈爲時範逢君歎老成過庭多令子惟嶽降元精地煖無秋色人間重晚晴近聞開壽讌松祝歲崢嶸

三十七　　徐永昌

磊落經綸繼管劉萬家衣被惠齊州曾從計部紓長策早涉瀛寰作勝遊論政光宣弘簡牘轉漕青冀著爲猷趨庭一錄規模在甯只諮謀託治裘

三十八　　陳炳章

四知世德紹箕裘壯歲星軺遍五洲一代度支成鉅製平生出處具深籌桂蘭得氣三株樹風月怡情百尺樓寫韻更編雲在

集詩名宦續兩淸道

後學 徐學禹

三十九

南極星輝映春風敞錦筵佛稱無量壽人是有情仙瀛海歸雲

潔梁溪高隱賢範疇傳景福合獻九如篇　堂戶芝蘭秀欣瞻

海屋籌山開錫五色桃熟歲千秋霖雨甘棠詠文章豹采搜天

孫眞可接林壑卽丹邱

四十

趙曾珏

蠡湖春水盎淸潔龍山九峯畫屛列東南人物冠神州間氣鍾

奇毓英傑束髮吐語已神奇雲衢振翮肇先機弱冠蜚聲動京

國詞壇摛藻揚明時中原羶腥忽蕩滌自由鐘鳴鼎祚革南滇

戢翼艫樓船楚澤行吟感愴惻亂世文章直士苴達人達矚愼

權輿讀書經世抱素蘊再度京華志展舒星軺隨節歷重洋樽

俎折衝資贊襄歸來荐剡登卿貳騂騮得路恣騰驤理財劉晏

先富養振絜鹽綱事鞅掌退公餘緒更聯吟洛社耆英多瀣沆

掛冠自賦歸去來惠山之麓傾新醅詩人耉壽天所眷承平韵

事人爭推後來領袖看蘭玉始知好學眞爲福吳中近事圖放

翁江西宗派崇山谷八秩懸弧晝錦堂珂鄉人頌郭汾陽春秋

更數八千歲爲祝岡陵日月長

四十一　　趙祖康

桑田刼後數耆英福曜珊弧照眼明共仰威儀尊魯殿早欽衣

被徧蒼生南通實業開先導北海聲名屬老成經國理財前績
在盈虛今昔不勝情
四十二　郁秉堅
海晏河清又匝年杖朝欣看地行仙鈞元平準詩千卷嘯傲湖
山斗百篇紝織組紃興實業飛觴祝嘏集羣賢華堂此日萊斑
舞更待期頤獻錦牋
四十三　謝冠生
巍然魯殿見靈光道德文章晚益香閉戶早攻經世學治邦尤
擅理財長精神寒歲同松柏歌詠閒情話海桑遙想霜髯連雪
鬢花晨月夕興猶狂

四十四　馮飛

早踐清華致譽高晚將經卷滌塵勞心如止水八功德身似雲霄一羽毛夜雨銀洲增壽考春明舊社總詩騷芝蘭繞砌期頤樂五福遙知左劵操

四十五　周伯敏

錫山楊味老八十有童顏自是性道優非關履處安少日捷京兆壯歲至郎官利柄持十年世暖家獨寒古有真鹽鐵與公成多難無何世亂起干戈逞兒戲割據頗有人民瘼誰曾睇公獨懷春風到處噓生氣中年雖恬退尚作衣民計文章老更華事業與無替生平成就事一一皆仁智允安千萬家此是真人瑞

今當壽域開獻句難工麗惟願公如不老松常將儀表振斯世

四十六

世愚姪 孫曉樓

碩德通才夙所稀宏農望並錫山巍理財績報封圻最奉使槎揚上國威福蔭鱣堂綿世澤愛深梓舍絢春暉知公壽考無疆處秋草齋前綠正肥

四十七

賈景德

蘭玉階前盡儁材林泉嘯詠亦悠哉應麟老去仍耽學劉晏當年善理財一卷趨庭顏氏訓千峯張幔武夷盃耄期喜及中興盛洗甲東南壽域開

四十八

周詒春

太尉家聲繼昔賢四知垂戒豈徒然春花穠豔才何限秋草蕭

騷句共傳雲縱在山猶作雨心如止水卽爲仙笑看北定中原

日三鳳翩翩舞膝前

四十九

愚弟王禹卿

楊公植品何堂堂學優而仕有特長自登賢書試爲郞長官刮

目重圭璋理財夙昔有主張力革繁苛稅孔亟國計民生詎可

忘開源節流總大綱聲名洋溢泰岱旁不知塵世換滄桑宦海

收帆重工商棉業大利普北方始知出處異尋常立朝在野兩

不妨今屆耄壽合稱觴詩詞競賦何琳瑯指顧百年樂未央更

頌德門五世昌

五十　　姻愚弟宋漢章

先生應是地行仙鳩杖輕攜矍鑠年已著藎謀關大計本來清尙是雲泉優遊陽羨求田後榮遇宣仁賜燭前玉樹森森傳寶訓却於誠敬致拳拳

五十一　　許漢卿

滄海桑田幾變遷魯靈光殿自巋然文章價重傳高第學養功深得大年奏稿長留經世策軺車滿載救時篇詩名爭說楊秋草餘藝猶堪饜後賢　盛年政府幾迴翔如海才情却善藏肯以威儀凌椽屬未妨詩酒寄清狂指囷人盡懷恩德式穀兒能秉義方佇看鱣堂珠履集木樨香裏進霞觴

五十二

周作民

訃臣勛望滿京華府海官山獨擅家雲在文章傳翰墨星軺諫

草化蟲沙生無一日忘民物戒懍四知避李瓜勘破塵緣祛俗

念天倪涵煦壽無涯

五十三

愚弟王堯臣

霖雨民皆仰簪纓世有名理財關國計作吏播循聲薄海呼生

佛中年少宦情津門堪小隱介壽合稱觥　一卷趨庭語文章

政事全春明多閱歷秋草最纏綿壽域通三寶吟懷寄二泉長

生真有訣得力在心田

五十四

葉　薰扶霄

雅樂賡天保卮言再拜陳清修標晚節先視作新民藝苑蜚聲久儒躬見道真勸工興紡織拓殖闢荊榛學裕能經世財豐不處貧肯堂羣季秀述德一編珍賜杖增餘慶稱觴及好春霓裳同日詠珥筆祝松筠

五十五　陳輝德光甫

惠山人物久堪誇脈衍關西老世家劉晏理財弘遠略張騫奉使屢浮槎經營海國需鹽鐵衣被蒼生貴紡紗王母桃開稱上壽安期仙棗邵陵瓜

五十六　愚弟徐鴻寶賓

德功而外有文章秋草詩成字字香一事先生真壽世獨留晚

節傲風霜　經濟文章不朽名十年窗下識平生克家嬴得象
賢子壽世還從繼武聲

五十七　　　　　　　　　　　　　　　　鄉愚弟萬弼臣

春雲長護好樓臺（先生所居名雲在山房）惠麓期君策杖來詩集纑塘詞飲
水（先生重建無錫之貫華閣閣爲顧梁汾與成容若去栴談詩處）文章燕許賦鄒枚壺中圖畫眞仙侶眼
底瑤環亦世才待得明年方八秩天香滿座再啣杯

五十八　　　　　　　　　　　　　　　　杜　鏞

經術飾平治農棉費講求心勞天下計目極五湖秋矍鑠神彌
健堅貞道自遒律門開壽寓文酒足風流

五十九　　　　　　　　　　　　　　　　王曉籟

十丈花開幕府蓮芬芳猶說義熙年驚聽治策庭前對重譯皇華海外編樽酒難平家國憾楹書有託子孫賢勛名誤却楊秋草繡遍弓衣七字傳　錫山風物近何如一曲朝陽樂有餘聞道齊民興實業果然富國在經畬青雲賦就真才子紅杏吟來老尚書壽世壽人徵壽相嘉言懿行誌庭趨

六十　　　　潘公展

貨殖與名宦二者不并昌文學兼餘事楊公真堂堂韋平徵閥閱王謝數門牆入洛正年少平步騰龍驤郎潛游卿貳樞機屢贊襄度支抒大計儲胥盈倉箱萬緒待抽繹君實持其綱決事如流水炯炯雙目光皇華使異域聲名動梯航倏焉國步改朝

市幾滄桑輶軒徧南北處處樹甘棠再來柄鹽政補苴窮千瘡

徙薪先曲突補牢已亡羊歸把惠泉水浣此功名腸翻然謀紡

織使民具冠裳辛勤擘藍縷機杼偏瘖唐棉業導先河此事關

興亡至今衣被者經始應推揚知君鬱奇意有託逃於商松柏

凌寒姿八十應稱觴和氣充庭闈愛日散嚴霜家風寶慈儉趨

庭美諸郎陰德後必大繞膝盡珪璋介壽躋海屋日月欣重光

誦君秋草篇託興在滄浪腰笛歌南飛大斗酌瓊漿仁者應黃

耇醉我八千場

六十一　　　　　　　　劉聘三

巋然魯殿挺雄姿渭水春光初暖時圜府於今承至計文壇自

昔仰宗師裁量國法開三面紹續家風懔四知讀罷趨庭隅錄後千秋事業昭來茲

六十二　駱清華

處膏不潤嚴昏夜濟美偏知遺澤長曾爲爬梳通利病不能俯仰見淸剛徙薪早計安齊魯經國嘉猷重廟廊興織更聞歌五袴眞同大被庇傖荒　門庭蔚起誇三鳳弓冶相承有自來蘭茁桂叢娛晚歲桃實椿大在春臺文章餘事吟秋草治術當時許幹才一卧滄江閱桑海共欽人瑞進金罍

六十三　俞佐廷

政聲久重廟廊間歸後田園樂景全過眼烟雲看往事陶情著

作付新編娛生但覺詩書好習靜渾忘歲月遷鶴髮童顏堪久
駐此身原是地行僊　滄桑閱盡萬緣輕一枕華胥夢不驚慈
厚人推無量佛清閒自號在家僧當年秋草傳佳句此日靈椿
享大齡養望林泉容嘯傲摩挲老眼待昇平

六十四　李馥蓀

清季積弱久爭講富彊術通才有楊君懷抱追契稷服官二十
載事功資楷式中歲謝政事餘緒治貨殖華新與廣勤雙峯標
南北媲美同邑榮各有轍與軾精勤治此業生平如一日無論
路險夷無論時通塞明歲秋八月楊君壽八秩豫戒兒若孫稱
觴糜物力舉世實艱辛非可耽晏逸諸郎俱人俊退而謀稱述

貽我趨庭錄字字皆紀實我聞致治道先在足衣食古今與中
外所勸重耕織楊君啓先河史乘功應勒八年苦甲兵海內望
蘇息安得千楊翁興復策羣力願翁老益壯祝翁壽無極小詩
將賀意媿乏如椽筆

六十五　　傅汝霖

錫山黛染具區濃奔莱鱣堂秀氣鍾大老優游同渭水學人遭
際過堯峯承顏三薛俱騰鳳繩武諸荀合譽龍一琖屠蘇春意
盎待賡擊壤慶時雍　干霄逸氣自髫年七字詩成句欲仙舊
史早經文苑傳俊游爭識孝廉船眞淳內行人無間清白家風
世並傳葛帔只今交道苦看君恩義薄雲天　富國良圖費揣

摩南宮無意掇巍科退之大筆工仍速平叔材臣細不苛幾度
星槎勞博望新編歲計仿元和英輶耆舊遺書在比似雲薖劾
孰多　大利神州織與耕真教衣被及蒼生海東財賦羣藩最
河朔鹽官再至榮肯以摸稜縻好爵但憑觴詠寄閒情瓣香未
覺津門遠試聽南飛笛裏聲

世愚弟錢基厚

六十六
槐花忙踏早秋天辛卯登科憶少年力袪關餘抽稅法精研國
際理財篇郎曹相府言驩樂廬墓田園啟象賢最是津門興棉
業無邊功績到今傳　識破人生又十年介眉香馥臘梅先才
從裕國稱交口功在愛民賴仔肩自昔簪纓動鄉相而今詩酒

傲神仙添籌遙祝慚無語一霎期頤到眼前

姻愚弟華文川

六十七

祝嘏宏開八秩筵星輝南極耀垓埏金張門第輿情翕蔬布家庭世澤綿財政咸欽持大體黨潮不涉任酣眠杖朝媿我無階級虛度稀齡忝引年　趨庭隅錄子孫賢小大臚陳備採研人往風微珠尙燦爐餘雲在韋堪編聚餐賓館承優待論畫僧寮結佛緣舞罷萊衣齊上壽籌添海屋盛空前

弟鄧以模

六十八

簇簇西神峙九峯邐迤巖壑毓夔龍文章燕許稱叉手經濟范韓羅斗胸主計殊勛媲陽武却金世澤仰宏農歸來海外鼎旋

革歷居歲寒挺柏松　憶昔燕京共旅居論文談藝夙相於寓徐更下陳蕃榻說項曾邀韓愈書諸子汾陽舞萊綵誕辰交趾貢瓊琚三齡長我應兄事上壽八旬頌九如

愚表弟侯鴻鑑

六十九

泉水源深苓共壽（泉在慧山南茅蓬貫華閣之前）山房雲在意俱遲（味雲有雲在山房詩集）紗抽萬縷心同細（味雲在南北創辦紗廠多處）鹽課周年法可師（味雲在山東辦理公家鹽務一年中積儲鹽款甚多）魯餉坐籌風鶴定（味雲在山東籌款助餉軍用富足）國痍手定莽鷹飢（味雲整理財政傳爲聖手）等身著作傳千古秋草名篇遠近知（味雲所著詩文稿十餘種而秋艸集尤著人號爲揚秋艸云）

七十

邵福瀛

卌載論交世態殊追隨几杖憶方壺君家舊有絲綸筆壽寓新

開耄耋圖共賞奇文瓶罄井獨慙弱質柳和蒲洛陽耆老風流

盡愧比當年狄與盧

七十一　　許國鳳

近代理財第一流規章創制足千秋鹽田正筴夷吾相瀛海乘

槎博望侯經世文章傳累葉名臣識量軼同儔鯫生驥尾幸堪

附末座叨陪帷幄籌　十年前已古來稀退隱肆門認少微詩

酒有情曾結社滄桑不問自忘機貫華明月九龍憶醇樸家風

三鳳飛廿載後如今日健期頤晉祝我摳衣

七十二　　姻如弟王肇夏

九峯黛色青峨峨帶以粱溪映素波故鄉山水鍾清淑合讓名

賢結雲邁雲邁主人關西後家風王謝相承久庾鮑聲華四座
傾道是蟾宮攀桂手少年匹馬向長安功名拾芥原非偶軺車
奉使海西歸珥筆延英殿上走計然致富有成書著作等身追
韓柳中華政體共和更強起東山仗老成劉晏理財經國違更
教衣被偏蒼生至今冀豫栽棉地猶憩甘棠仰大名杖朝精神
偏矍鑠洛中高會識耆英枝頭喜報春消息南極星光燁燁明
遙想天津橋畔路蟠桃三熟沸簫笙我本淮南舊賓客親隨杖
履陪朝夕老去猶深知己感伊人迢遞蒹葭隔崧高佳氣鬱葱
葱北望喬松修百尺

壽詞目錄

匡啓墉壽星明

王祖庚慶春澤

一 金縷曲

年世愚弟金兆蕃

六十年前我共賢昆文場角逐鞭絲雙韠明月中宵露桂子薇省新詩唱和恁茵溷匆匆飄墮春色平分池塘草迓使君驄馬徠山左三字椽備僚佐　江鄉我已安塵堁望天涯風高起鳳雲歸龍臥昨夢官書銜袖進依舊雅談使坐囘首見老人星大矍鑠是翁扶鳩杖與園入公綺里時相過厤笛奏奉觴賀

二 南歌子

年弟徐沅時年七十又四

桂馥多經雨松貞不計年小長蘆叟共星躔同紀生朝總錄壽雲編朱竹垞八月二十一日生公與之同　富貴秋風過吳季子語見吳越春秋　詩書世澤延竹林佳話後先傳轉瞬庚寅重宴鹿鳴筵癸酉年令叔小荔世丈太守鄉舉重逢再閱三年公當繼之

三　金縷曲　　南蘭陵唐行流

大比逢辛卯羨楊侯鹿鳴初賦孝廉船到舒發文章和經濟整頓開元天寶衛國體更新見告推重同官仍主計忽抽簪市隱律門道興實業抒懷抱　春花秋月供吟嘯有山房額題雲在篡鈔類稿鉢社思冲鶩摩館詞意尤稱絕妙早海內名流傾倒今歲退齡剛入秩看庭前舞綵承懽笑歌永錫頌難老

四　清平樂　　姻世愚姪劉麟生

皤皤元老壽世文章早績纖傳家清慎孝勛業兒曹能道　吟箋寫罷滄桑大年宜卜豐穰公是熙朝人瑞芝生雲在山房

壽頌詞目錄

一

建設首要厥在民生生財大道治平之經惟公之德福國裕民

祝公之壽如山如陵

戴傳賢

二

輔民經濟華國文章天眷一老俾壽而康

陳果夫

三

學究經世家傳四知敭歷中外勛業緝熙高年景福春永養堂

祥徵人瑞邦家之光

白崇禧

四

碩德大年國祥人瑞天錫純嘏以介眉壽

谷正倫

五

徐　堪

於鑠先生江南耆英歷中外寒暑卅更才長管晏冀魯蜚聲

鄉興實業裕國福民趨庭一集鯉訓昭明家傳弗替桂馥蘭芬

宏開壽域米芾爭迎鵲笑鳩舞晉祝遐齡

六

彭學沛

世歷滄桑人堅松菊弈葉聲華崢嶸蘭玉是近代之耆英自期

頤之可祝

七

顧祝同

事業文章清徽雅望三鳳蜚聲壽考無量

壽聯目錄

一　八進于千將演椿算　十倍爲百先得彭齡　弟吳敬恆

二　聖人心日月　仁者壽山河　于右任

三　歲時疇紀祥符絳縣老人喜完成國土湖山衣被蒼生霖雨徧南北斗樞輝映賁華福地看多少平泉竹木婆娑綠野桂蘭馨　年愚弟唐文治

四　通風雅頌詩徵百祿　立功德言書紀三多　年愚弟龐元濟

五　平生賁華閣大老釣璜溪　愚弟章士釗

六　燕市秋高承錫蕭規同削牘　淞波春暖欣隨萊舞共稱觴　李思浩

七　元老精神懷彥博　五湖高節毓陶朱　鈕永建

八 家風本淸白 上壽躋期頤 宗愚弟 天驥

九 樓傳裘學齋繪方壺才愧謝惠連曾坐春風依講席 訓

守四知書成九府壽同張陽武爭看秋月照華筵

受業弟 壽楣

十 潞國經綸豈僅雁行瞻斗岱 汾陽富貴端應鶴算衍嵩

恆 弟仲叔 滋藝

十一 早秉軒蓋縱目瀛寰歸來裕國有方不世勛名興討政

老臥松雲等身著作喜看後昆濟美幾行蘭桂舞萊衣

唐岷春

十二 福壽昌期瑞符渭水林泉頤養名娩香山 姻愚姪 林漢甫

壽額及題字

怡壽葆真　蔣中正

綏福延年　于右任

駿德遐昌　李宗仁

民國耆英　鈕永建

大德大年　顧祝同

大耋延齡　湯恩伯

業崇仁壽　杜建時

光曜九龍　吳增甲

緒綽眉壽　潭澤闓

華封三祝

華繹之

弁冕耆英

宗愚弟天驥

題畫

鄭午昌　顧坤伯　姚虞琴　賀天健　陳國廉　江載曦

黃葆戊　侯撷荃　陳樹人　陳漢弟　施壽麟　施織孫

孫葆羲　徐增祥　汪亞塵　龔導寸　葉寄深　華　林

薛學 海潛濂　侯　湘　諸健秋　嚴振緒　瞿兌之　朱傅霖

商笙伯　吳養木　朱夢華　馮　寅　王汝霖

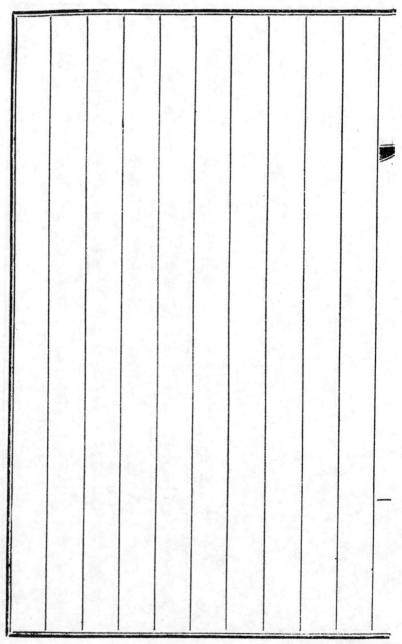

題壽字

陳夔龍　吳敬恆　楊志濂　張元濟　章　梫　汪曾武

金　梁　林葆恆　徐　沅　鈕永建　齊耀琳　齊耀珊

朱有濟　曹汝霖　葉恭綽　徐世章　夏仁虎　江　庸

周學熙　周學淵　周學煇　汪士元　關賡麟　王　耒

陳惟壬　許漢卿　榮宗銓　王鏡銓　顧坤伯　姚虞琴

華文川　許國鳳　侯　毅　沈璘慶　周伯敏　白　蕉

萬弼臣　孫多鈺　秦通理　楊壽楣　卓定謀　李書勛

李芸侯　李熙謀　金百順　陳　威　陳　儀　邢　端

林修竹　鍾世銘　鄭世芬　劉朝望　阮性言　林彥京

吳乃琛　王文典　瞿兆奎　袁心武　周肇祥　許鍾潞
蔣尊褘　周善培　徐宗浩　周　衡　何炳庠　任鳳苞
許保之　吳頌平　陳　垣　聶宗義　陳　繹　蕭方駿
胡商彝　張德薰　金　鉞　劉恩源　胡　希　程卓澐
雍　濤　胡寶善　傅蘭泰　柳肇嘉　盧　弼　李金藻
何炳麟　聶雨南　李震彝　李國松　丁其慰　羅惇㬊
朱行中　李寶誠　齊文炳　莊仁松　邵　章　王　韜
黃懋謙　勾　康　徐　垚　曲荔齋　李　健　陳傳德
王　毅　汪一鳴　汪一誠　朱士渙　丁道津　朱豫全
董士恩　陳亦侯　趙子卿　楊豹靈　陳漢第　潘序倫

江載曦　吳葆豐　貝祖詒　賈桂林　陳曾壽　梅蘭芳
潘鮑亞暉